石平

暴走を始めた中国2億6000万人の現代流民

講談社

暴走を始めた中国2億6000万人の現代流民

まえがき——共産党体制が終焉する必然

いま世界で最も無視できない国はどこか——。

そう聞かれたら、多くの人が中国と答えるのではないだろうか。もちろんインドなども急成長しているが、中国はそれらの国々に先んじて経済大国と化した。まして日本は歴史的にも中国との関わりが深い。近年は「歴史認識」などをめぐっての対立も見られるが、好むと好まざるとにかかわらず、中国を意識している人は多いはずだ。

しかし、「経済大国・中国」は、私から見れば幻に過ぎない。いわば砂上の楼閣《ろうかく》である。中国の経済成長は、最初の段階から無理があったのだ。

中国はこれまで、安い労働力を背景に輸出を伸ばし、経済成長を達成してきた。しかし、賃金を安く抑えてきたことで、内需が伸びないという「内患」を抱えることになった。

もう一つの柱であった投資も危うい状況だ。行き過ぎた不動産投資はバブルを招き、インフレ対策でマネーサプライ（貨幣の供給量）を絞ったことが、そのバブルに大ダメージを与えることになった。さらには、二〇一五年六月からの上海における株価暴落も中国経済の脆弱性《ぜいじゃくせい》を暴《さら》け出した。

中国経済は、もはや崩壊寸前だといっていい。そしてそのことは、国家体制そのものの崩壊にもつながりかねない大問題だ。

経済発展を支えてきた安価な労働力、その中心を担ってきたのは、「農民工」と呼ばれる農村戸籍の若者たちだ。彼らは故郷を離れ、都会で低賃金で働き、最底辺の暮らしを強いられてきた。

そんな彼らが経済の失墜で職場すら追われ、「現代流民」となる現象が起き始めている。日本でもよく報道されるデモの主力となっているのは彼らだ。

これまでもたびたびデモや騒乱を起こしてきた農民工、すなわち現代流民が、社会に対する怒りと不満をさらに高め、一斉に蜂起《ほうき》したら……それは、国家存続の危機に直結する。

中国政府が経済対策に躍起《やっき》になっているのは、単に人民を潤わせるためではなく、彼ら最底辺の人間たちの不満を解消するためなのだ。つまり中国の経済政策には、中国共産党体制の存亡がかかっているといっていい。

とはいえ、もはや中国経済は完全に行き詰まっている。現代流民たちが大規模な「暴走」を起こすのも、決して遠い将来の話ではないはずだ。中国共産党の一党独裁体制は、もはや終焉《しゅうえん》に向けた最終段階に入っていると見ていい。

そしてそれは、これまで中国が行ってきた、無理に無理を重ねた経済成長がもたらした「必然」なのだ。

本書では、中国の政策が何を間違え、その結果として何が起ころうとしているのかを、過去の歴史も検証しながら詳細に解説する。「幻の経済大国」である中国が、これからどんな道をたどるのか。読者のみなさんにも想像していただきたい。

そのことで、日本が中国とどう向き合うべきかも、おのずと分かってくるはずだ。

目次◉暴走を始めた中国２億６０００万人の現代流民

第一章　GDP世界二位の虚構

第二章　「成長のための成長」の罠

第三章　不動産バブルの完全崩壊

第四章　怒れる現代流民の素顔

第五章　歴代王朝の崩壊が映す近未来

序章　断末魔の中国経済

中国の本当の成長率は何%か

今後の中国経済は一体どうなるのか——多くの人が、そのことに興味を持っているのではないだろうか。

それを占うためにはまず、中国経済の実績を見てみる必要があるだろう。中国政府が発表した二〇一四年の経済成長率は七・四%である。実はそれは、今後の中国経済の暗い見通しを示すといえる、深刻な数字だった。

成長率七・四%といえば、日本などの先進国では高いほうの数字といえる。しかし、中国ではむしろ大きく下がった数字。政府発表の中国経済の成長率が七・五%を切ったのは、実は一九九〇年以来、二四年ぶりのことなのである。

しかも、成長率がピークに達した二〇〇七年の一四・二%と比べれば、七・四%は半分程度でしかない。つまり、二〇〇八年から二〇一四年までの七年間で、中国の成長率は約半分に低下しているということになるのだ。

この尋常《じんじょう》ならざる落ち込みに加えて、政府の発表した七・四%という成長率じたい、果たして本当かどうかという疑問がある。

一国の実体経済が伸びているかどうかを見る場合、より確実な指標の一つとなるのは、生産活動を支える電力消費量が伸びているかどうかだ。この物差しを使って見てみると、中国経済の減速度合いが政府の発表以上に深刻なものだということが分かる。

たとえば二〇一三年、中国政府発表の経済成長率は七・七％だった。それに対して、関係部門が発表した同年の全国の電力消費量の伸び率は七・五％。同じ七％台だったのである。しかし二〇一四年には、中国全土の電力消費量の伸び率は半分程度の三・八％に落ちていることが判明した。

だとすれば、二〇一四年の経済成長率が依然として七％台だというのは疑わしい……電力消費量の伸び率と同じ、三％台に落ち込んでいてもおかしくないのである。

鉄道貨物運送量が激減した意味

二〇一四年の中国経済の減速が、政府発表以上に深刻であることを示す、もう一つの数字がある。

中国交通運輸部が発表したところによると、二〇一四年一年間の中国国内における鉄道貨物運送量は、前年と比べて三・九％も減少している。中国では、生産材や原材料の多くは鉄道による運送に頼っている。いわば鉄道大国だ。

すると、鉄道の貨物運送量が前年比三・九％減ということは、中国全体の経済活動がかなり冷え込んでいることを物語っている。

電力消費量が大幅に落ちて鉄道貨物運送量がマイナスとなっているのに、経済全体の成長率が七％台を維持しているとは、とても思えない。政府が発表した七・四％という成長率に、かなりの水増しがあるのは明らかだ。

結局、**二〇一四年の中国経済はほんの少ししか成長していないか、あるいはまったく成長していないかのどちらかであろう。そして二〇一五年は、マイナス成長の可能性も指摘されている。**それこそが、現在の中国経済の実態なのである。

そうなると、今後の中国経済がどうなるのかは火を見るより明らかだ。中国経済は二〇一四年よりさらに落ちていくことはあっても、上がってくるような要素は何一つないといっていい。

李克強が信用できる二つの指標

二〇一五年四月には、中国政府が第1四半期（一～三月）の成長率を公表した。その数字は七％。二〇一四年第4四半期と比べると、〇・三％のダウンである。しかもこの数字は、四半期ごとのGDPとしては、二〇〇九年第1四半期以来、六年ぶりの低い伸び率……。

このことからも、中国経済の減速傾向がいっそう鮮明になった。もちろん、政府が公表したこの数字も、まったくの「水増しの数字」であると断言していい。

たとえば先述の「鉄道貨物運送量」の話をもう一度持ち出すと、七％という数字の怪しさがよく分かる。というのも、二〇一五年四月に中国鉄路総公司が発表した数字によると、この年の第1四半期における中国全国の鉄道貨物運送量は、前年同期比で九％も減少しているのだ。

二〇一四年の鉄道貨物運送量が前年比で三・九％減となったことは先述の通りだが、二〇一五年の第1四半期では、前年同期比の鉄道貨物運送量の減少がよりいっそう激しくなっている。鉄道貨物運送量が約一割も減っているのに、経済成長率が七％増というのは、いくらなんでも無理がある。

実際、**中国の首相で経済学の博士号を有する李克強《りこくきょう》も、かつて「中国経済の指標で信用できるのは鉄道貨物運送量と電力消費量だけだ」といっている。**政府の発表は、もはや子どもも騙《だま》せないような拙劣な嘘だというしかない。

現在の中国経済は、悪夢のごときマイナス成長の真っ只中にあるのである。

対外貿易の凋落ぶり

二〇一五年の四月には、この年の第1四半期の経済状況を示す一連の数字がほぼ出揃った。それらを見る限り、少なくとも三月末の時点では、中国経済が沈没寸前の状態であったことがよく分かる。

たとえば、対外貿易の関連数字である。二〇一五年第1四半期、中国の輸入総額は前年同期比で一七・三％も減少した。経済運営の全体責任者である李克強首相は、この数字に真っ青になったことだろう。

主に消費財と生産財の輸入からなる輸入総額がこれほどまでに急激に下がったことは、消費と生産の両方が相当に落ち込んでいることを物語っている。

四月に入ると、対外貿易の凋落《ちょうらく》ぶりがさらに明確になった。四月の中国の輸出額は前年同月比で六・四%減少。二ヵ月連続で前年水準を下回ったことになる。一方、輸入はどうかといえば、一六・二%と二桁《ふたけた》も減っている。前年比での減少は、実に六ヵ月連続でのことだ。

また、中国経済のかつての繁栄を象徴していた自動車市場でも、やはり異変が起きている——。

中国汽車工業協会が発表したところによると、二〇一五年七月の新車販売台数は、前年同月に比べ七・一%も少なかった。この数字だけを取ってみても、中国経済がかなり苦しい状況にあることがよく分かるのである。

実際、中国を主要な市場とするドイツのフォルクスワーゲン社などは、大きく減産する事態に陥っている。中国の自動車産業は年五〇〇〇万台という供給能力を有しているが、これは実需の倍近い水準なのだから、それも無理はない。

純利益が八〇%も落ちた石油企業

経済状況がここまで落ち込むと、深刻な苦境に立たされるのが国内企業だ。中国財政部(財務省)が発表した数字によると、二〇一五年第1四半期、全国の国有企業の利益総額は前年同期比で八%も減ったという。

中国の石油事業を独占する超大企業・中国石油天然気(ペトロチャイナ)の第1四半期における純利益は、なんと前年同期比でマイナス八二%という激減ぶり。普通の家計で考えれば、一家の収入が前の年と比べて八割も減ってしまえば、それは破産を意味するといっていい。

鉄鋼産業の状況も酷《ひど》いものだといわざるをえない。

中国鋼鉄工業協会の発表によると、二〇一五年第1四半期、中国における主要鉄鋼企業の半数が赤字を出している。しかも、赤字総額は一〇三億元(約二〇〇〇億円)にも上った。前年同期と比べると、二七%以上も赤字が増えている。

つまり、鉄鋼産業全体が火の車と化しているのだ。

不動産バブルの完全崩壊

過去二十数年間、驚異的な高度成長を続けてきた中国経済は、どうしてここまで落ち込むことになったのか。詳細はこれから本書に記していくことになるが、原因の一つとしてまず挙げられるのが不動産市場である。

中国経済の行方を大きく左右する不動産市場の動向を簡単に説明してみよう。

二〇一五年三月、中国指数研究院は、同年二月における全国一〇〇都市の不動産平均価格が前月よりも下がったと発表した。二〇一四年五月から連続一〇ヵ月の下落である。それまで中国の不動産はバブルの状況を呈しており、それが崩壊の方向へと向かったということになる。

二〇一四年の夏以降、中央政府と地方政府は「救市（不動産市場を救うこと）」と称して、久しぶりの利下げを断行したり、不動産購買への規制をことごとく撤廃したりして必死の努力をしてみせた。しかしそれでも、不動産市場の低迷と価格の下落を食い止めることはできなかった。

「政府はいつでも不動産価格をコントロールできるからバブルの崩壊はない」という中国式の神話が崩れたのである。

二〇一四年の年末に発表された中国社会科学院の「住宅白書」では、この年の住宅市場に関して「投資ブームの退潮、市場の萎縮《いしゅく》、在庫の増加」などの問題点を指摘したうえで、「二〇一五年の住宅市場は全体的に衰退するだろう」との予測を行った。

同じく二〇一四年の一二月二九日には、中国国務院発展研究センターの李偉《りい》主任が『人民日報』に寄稿して、二〇一五年の経済情勢について「長年蓄積してきた不動産バブルは需要の萎縮によって破裂するかもしれない」としている。

国家直属のシンクタンクの責任者が「不動産バブル破裂」の可能性を公然と認めたのは初めてのこと。先述の社会科学院の白書と照らし合わせてみると、どうやら中国最高の頭脳たちのあいだでは、「不動産バブルはそろそろ崩壊してしまう」という共通した認識が定着しているようだ。

実際、二〇一五年に入ると、彼らの不気味な予言がますます現実味を帯びるようになった。

四月一五日に中国国家統計局が発表した数字によると、同年第1四半期において、全国の「商品房（分譲住宅・オフィスビルなどを含めた販売用不動産の総称）」の販売面積は一億八二五四万平米。前年同期と比べて九・二％も減ったという。先述の通り、二〇一五年第1四半期の三ヵ月間、全国一〇〇都市の不動産価格はずっと下がり続けている。にもかかわらず「商品房」の販売面積が前年同期比で一割近く減少したことは、中国の不動産市場が完全に冷え込んでいることを示している。

激増する不動産在庫

売れなくなると、当然ながら在庫も増えてくる。現に、現在の中国はまさに不動産在庫の山ともいうべき状態だ。国家統計局が二〇一五年四月に発表した数字では、同年三月末時点での売れ残りの「商品房」の総面積は六億四九九八万平米となっている。二〇一五年第1四半期の「商品房」の販売面積が一億八二五四万平米であったことは先述の通りだが、その三・五倍以上の在庫が山積みとなっているのだ。

これほどの在庫があるなかで、今後、新規発売される「商品房」がますます売れなくなっていくことは火を見るより明らかだ。

「商品房」がさらに売れなくなると、開発業者の資金繰りがますます苦しくなる。開発業者に残された最後の道は、手持ちの不動産在庫を大幅に値下げして売り出すことだ。しかし、いったん誰かがそんなことをやり始めると、多くの業者がいっせいに追従して壮絶な「値下げ競争」が発生するかもしれない。

――それは不動産価格の総崩れを意味する。すなわち、不動産バブルの崩壊が目の前の現実となってしまうのである。

こうした趨勢《すうせい》から見ると、本格的なバブル崩壊が近づいているのは間違いない。そして、それが現実に起きてしまえば、中国経済全体が大ダメージを負うことになる。

不動産バブル崩壊後の中国は

これまで、不動産業は中国経済の支柱産業だと呼ばれてきた。たとえば、二〇〇九年の一年間、土地の譲渡や住宅の販売などによって生み出された不動産関連の経済価値の総額が七・六兆元にも上ったという計算がある。その年の中国のＧＤＰが三三・五兆元だから、その二割以上を占めたことになる。

それ以降も、不動産投資の伸び率は経済全体の伸び率の倍以上を維持してきた。そうである以上、バブルの崩壊に伴って不動産業が全体的に衰退することになれば、中国経済の受ける打撃は成長率の一％、二％減といった程度では済まないだろう。

不動産バブルが崩壊することは、支柱となる産業が衰退することとイコールである。そうなると、いままで不動産業の繁栄にぶら下がってきた鉄鋼、セメント、建築といった基幹産業も、いっせいに沈没することが避けられなくなってしまう。

不動産投資低減のマイナス効果は、すでに不況に陥っているこれら一連の産業の低迷に拍車をかけることになる。今後、バブルの崩壊がより本格化していけば、中国経済の土台となる製造業全体が沈没しかねないのだ。

製造業が沈没すれば、それによって支えられる雇用も大幅に減る。失業はよりいっそう拡大するだろう。しかも、製造業全体の業績不振のなかで、もともと低かった従業員の賃金水準が、さらに下落することも予想される。

そうなれば、中国経済にとっては致命的なマイナスだ。中国政府は、経済成長率の失速に歯止めをかける役割を、内需拡大に大いに期待しているからである。失業が拡大し、賃金水準が下がってしまうと、国内消費は縮小することはあっても、拡大することはまずないのだ。

不動産バブルの崩壊は、別の側面においても中国の消費拡大に大きな打撃を与えることになるだろう。不動産価格が大幅に落ちていくなかで、不動産を主な財産として持っている富裕層や中産階級が、その財産の多くを失うことになると予想されるからだ。財産が失われた後には、多額のローンだけが残る。

中国政府が内需拡大の主力として期待している人々が、苦境に立たされることになるのだ。結果、中国の内需拡大はますます絶望的なものとなってしまう。

中国では、経済成長の失速はすでに鮮明になっている。それに加えて、不動産バブルの崩壊と、それにともなう一連のマイナス効果……中国経済の先行きは、さらに深刻な状況とならざるをえない。

財政事情が悪化し続ける理由

不動産バブルの崩壊は、深刻な問題をも引き起こすことになる。

二〇一五年三月一七日、中国財政部がこの年一月〜二月の全国財政収入の伸び率が前年同期比で三・二%増であったと発表した。

日本の感覚からすれば、財政収入三・二%増は悪くない数字だ。しかし、中国の場合は事情がまったく違う。

たとえば、二〇〇六年から二〇一〇年までの五年間、中国の財政収入は毎年平均して二一・三%の伸び率を記録してきた。とりわけ、二〇一一年のそれは二四・八%増という驚異的な数字であった。

しかし、その三年後の二〇一四年、全国財政収入の伸び率は八・六%に……ピーク時の約三分の一に急激に落ちたことになる。そして先述の通り、二〇一五年一月〜二月の伸び率はさらに落ちて三・二%増にまで落ち込んでしまった。中国政府にとっては、衝撃的な数字であったに違いない。

その数年前までは、毎年の財政収入が急速に伸びていたから、中国政府は二桁の国防費増加を図り、思う存分、軍備の拡大ができた。また、国防費以上の「治安維持費」を捻出することによって国内の反乱を抑え付け、なんとか政権を死守してきたという面もある。

そして、潤沢な財政収入があるからこそ、中国政府はいつも莫大《ばくだい》な財政出動を行うことで景気にテコ入れし、経済成長を維持できたのである。

いってみれば、**共産党政権の安泰と中国政府の政治・外交および経済の各面における統治能力の増強を根底から支えてきたのは、高度成長に伴う急速な財政拡大だったのである。**しかし現在の中国では、これまでのような「お金はいくらでもある」というハッピーな時代は終わろうとしている。

もちろん、財政収入が伸び悩みの状況になっていても、習近平《しゅうきんぺい》政権は軍備拡大のテンポを緩めるようなことは絶対しないだろう。政権を死守するためには「国防費」や「治安維持費」を増やすことはあっても、削ることはまずない。ということは、中国政府の財政事情はますます悪化していくこととなるはずだ――。

地方税収の四割――土地譲渡金とは何か

中国にとっての財政問題は、それだけではない。地方政府の財政も、たいへん厳しい状況に置かれている。

現在の中国の財政制度では、税収の大半は中央政府に持っていかれる。そのため、各地方政府は慢性的な財政難にある。

これまでの二〇年間、地方政府は長期にわたる不動産ブームのなかで、国有地の使用権を不動産開発業者に高値で譲渡するという、いわば「錬金術」を使って、なんとか財政収入を確保してきた。各地方政府の財政収入に占める「土地譲渡金」の割合は、平均して四割ほどにもなっていたのである。

しかし、二〇一四年から不動産バブルの崩壊が進むなかでは、土地譲渡金という地方政府にとってのドル箱が危うくなってきた。

二〇一五年三月一六日に中国財政部が発表したところによると、同年一月～二月の全国の「土地譲渡収入」は、前年同期比で三六・二％という激減ぶりである。このままいけば、地方政府の財政が危機的な状況に陥るのは必至といっていいだろう。

地方財政が悪くなると、もう一つの深刻な問題も浮上してくることになる。地方政府の債務問題だ。

これまで、中国の各地方政府は不動産の乱開発のために、国有銀行やシャドーバンキングから莫大な借り入れを行ってきた。二〇一三年六月の時点で、すでに一七兆八九〇九億元（約三四八兆円）もの借金を抱えていたのである。当然、現在ではこの額がさらに膨れあがっているはずだ。

地方政府の財政事情が悪化していくと、当然ながら借金を返すことができなくなってしまう。中央政府も、同じように財政難に陥っているから、その肩代わりをすることは不可能だ。

最悪の場合、日本円にして数百兆円規模の地方債務が焦《こ》げ付くことになりかねない。そうなれば、一部の国有銀行とシャドーバンキングの破綻《はたん》も避けられないだろう。そして最終的には、そこから中国経済の破滅を招く金融危機の発生にもつながりかねない。

信託投資も回収不可能に

シャドーバンキングが破綻するかもしれないという可能性は、別の面からも考えられる。これまで、中国におけるシャドーバンキングの中核をなしてきた信託投資は、実はその半分ほどが不動産業への貸し出しに回されてきた。

不動産バブルの崩壊が本格化することで、不動産業に投じられた信託投資の多くが回収不可能となる。そうなると、信託投資そのものがいずれ破綻してしまう。そして信託投資の破綻は、シャドーバンキング全体の破綻にもつながりかねない。

つまり、不動産バブルの崩壊と、それに伴う地方政府の財政破綻が同時に、もしくは前後して起きてしまえば、シャドーバンキングの破綻はもはや避けられないことになる。

そしてもし、シャドーバンキングが破綻すれば、それはすなわち全国的な金融恐慌の発生を意味する。中国経済は、もはや成長するかどうかなどといっていられなくなるのだ。確実に「死期」が近づくのである。

金融緩和で起こった株バブル

こうしたなかで、中国政府は瀕死《ひんし》の経済を救おうと必死になっている。

二〇一五年五月一〇日。この日は政府機関が休みであったにもかかわらず、中国の中央銀行である中国人民銀行は、突如として金融機関の預金・貸し出しの基準金利を一一日から〇・二五%引き下げると発表した。

実は、このような利下げは同年三月一日以来という短期間に行われたもの。二〇一四年一一月からの半年間で三回目でもあった。

利下げというのは、企業や個人が金融機関からお金を借りやすくするための金融緩和策の一つである。二〇一四年一一月から続いた利下げの連発は、歯止めのかからない景気減速に対する、中国当局の危機感を映し出しているものだといえるだろう。

利下げと同様にお金を借りやすくする効果がある預金準備率（市中の金融機関が中央銀行に無利子で預ける金額の預金残高に対する比率）の引き下げも、二〇一五年二月と四月に行われている。こうも連続して金融緩和政策を実施するほど、中国経済は凋落しているということだ。

現在の中国経済は、無理に無理を重ねなければ、持たない状態になっているのである。だが、この政府による実体経済の救済策は、その意図したところとは違う結果を招くことになった。金融緩和によって放出された多くの資金が株投機に流れたのだ……その結果、実体経済が沈没するなかで、株価が急上昇するという事態になった。

つまり、不動産バブルが崩壊している最中に、「株バブル」が生まれたわけである。

このことが中国経済を延命させるためのカンフル剤になるかどうかといえば、はなはだ疑問だった。

実際、二〇一五年五月五日から七日までの三日間、上海株式市場では、代表的な指数である総合指数が累計八・四五％も暴落している。そのことは、株価の上昇の原因がいかに不安定なものであるかを証明している。

上海株が暴落した必然

もはや虫の息というべき状態だった中国経済に、さらなる激震が走ったのは二〇一五年夏のことだった。六月一二日から七月三日までに株価が累計約三〇％も暴落したのだから、まさに緊急事態だ。

すると、中国政府はなりふり構わぬ「株価防衛総力戦」を展開。その結果、株価は一時的に上昇した。

とはいえ、決して楽観はできない。なぜなら、それ以前の株価の上昇が、まったく裏付けのない「官製バブル」だったからである。

本書ですでに指摘したように、**中国経済はそもそもが砂上の楼閣。鉄道貨物運送量が減り、電力消費量も伸び悩んでいる。中国経済は事実上、マイナス成長に入っているのだ。**

にもかかわらず、なぜ株価が上昇したのか。実体経済が沈んでいるなか、どうにか株価だけを上げ、バブルを膨らませようとしたからだ。中国政府は、そうすることで中国経済に明るい材料をもたらそうとした。

それまで外国人投資家を排除してきた株に関して、香港を経由した売買を認めるようにしたり、株投資の「信用取引」の拡大を奨励して、一般市民が「借金しても株を買う」よう誘導したりしていった。

こうした措置《そち》によって、上海株はバブルとなっていたのである。

しかし、結果として株価は暴落。そのきっかけを作ったのは、中国政府が呼び込んだ外国人投資家たちだった。

もともと中国経済の先行きに不安を持っていた彼らは、ある程度、利益を確保したところで、いっせいに上海株から手を引いた。そのことで株価の下落が始まり、中国の個人投資家たちはパニックに陥って次々と株の投げ売りに走った。その結果が、株価の暴落である。

実体経済という下支えがない株価は、暴落して当然だった。無理やり作ったバブルは、弾《はじ》けるのが必然だったのだ。

アジア制覇の目論見も虚しく

もはや、中国経済には打つ手がないようにも思える。

習近平政権は「民族の偉大なる復興」を掲げ、アジア制覇という野望の実現に向かって猪突猛進《ちょとつもうしん》しているように見える。しかし実際には、その足元、つまり経済という土台が崩れかかっているという状態だ。

これまで、世界中の人々を驚愕《きょうがく》させてきた中国の経済成長……それがなぜ、崩壊への道をたどることになったのか。

そして、経済が崩壊することで、一四億もの人口を抱えるこの大国はいったいどうなってしまうのか。

次の第一章から、中国経済が抱えていたそもそものジレンマと、その予想される帰結についてて説明していくことにしよう。

第一章　ＧＤＰ世界二位の虚構

理想的だった日本経済の循環

経済とは何か？　それは簡単にいえば、企業がモノを作り、売り、消費者が買うという流れのことだ。

消費者がモノを買うためのお金は、基本的に企業で働いた賃金である。企業は生産や物流で利益を上げ、それを賃金とする。

また、モノを作るには工場などの設備が必要だ。だから企業は設備投資もしなければならない。生産がなければ消費するものがないし、消費してくれなければ生産につながらないということである。

生産したモノを消費者が買い、それが賃金となり、その賃金が消費となり、消費によって企業が潤えば設備投資につながる。そして生産が拡大し、また消費される。こうした、バランスの取れた循環が経済の基本なのである。

戦後の日本は、この循環がいいバランスで行われてきた。設備投資によって生産拡大がなされ、そのことで従業員の給料が上がり、そのお金を、たとえば家電製品の「三種の神器（テレビ、冷蔵庫、洗濯機）」などに使ってきた。

みんなが消費するから、お金が企業に還流し、生産技術がさらに向上していく。そのための設備投資も行われていく……。

テレビが年間五〇〇万台売れたとしよう。企業はそれを六〇〇万台にするために設備投資を行う。設備が増えただけでは工場は稼動しないから、雇用も増やす。

ということは、安定した賃金をもらえる人が増えるというわけだ。そして新たに雇用された従業員の賃金は、新たな消費になる。

この設備投資は、企業自身だけのお金でやるわけではない。銀行からの融資も使い、利益の一部を銀行に返済する。

では、銀行にあるお金を刷るのはどこか。もちろん中央銀行だ。日本でいえば日本銀行である。貨幣は、国家の信用で発行されるのだ。

とはいえ、好き放題に貨幣を発行できるというわけではない。お札自体は紙切れであって、それ自体には価値のないもの。あくまでニーズに合わせ、実体経済の循環のために発行するのである。

戦後の日本は、バブル経済前まで、この循環がうまくいっていたといえるだろう。需要に対して、生産もお金も不足しなかった。生産過剰もなく、生産したモノは消費されていた。必要とされるお金は銀行から回ってきた。理想的な経済のモデルだったのである。

では、日本より遅れて一九八〇年代、一九九〇年代に経済成長を果たした中国の場合は、どうだったのだろうか——。

この章では、中国経済がいかに発展してきたか、そしてその背景には何があったのかを検証してみたい。

中国国民の消費が増えなかった背景

中国では、一九八〇年代から経済成長が始まった。

それまでの中国には、まず基本的に消費というものがなかった。社会主義体制のもと、国民がみな貧乏で、貯蓄もない。当時の中国は最貧困国家だったのである。

そんななか、政府主導で経済成長が達成されることになった。言い方を変えれば、政府主導でなければならなかったということだ。民間が自発的に経済成長するという要素がなかったのである。この中国の特殊性は非常に重要だ。

では、政府はどのように経済成長しようとしたのか。最初は、計画経済をなくして市場経済を導入することから始まった。鄧小平《とうしょうへい》時代の「改革・開放」だ。市場主義を導入し、市場を開放して、競争に基づいた経済にしていこうというわけである。競争がなければ誰も動かないし、働かないからだ。

もう一つのポイントは外資を受け入れることだった。

外資が中国に入ってくると、まずは工場を作ることになる。工場を作るためには、国内でセメントや鉄鋼などの資材を調達するし、もちろん人も雇う。そこにニーズが生まれる。

多くの人が外資の企業（工場）で働くことになれば、その賃金によって中国人民の購買力が上がる。それが経済成長の第一の起爆剤になった。

ただし、外資を受け入れるだけでは、中国経済が永遠に成長できることにはならない。本来であれば、国民の消費を大きくするのが一番いいやり方だ。

消費を大きくすれば企業が儲《もう》かり、設備投資も盛んになる。そして生産が拡大し、また国民の消費も増えるという好循環である。

しかし、中国では消費能力が限定されていた。なぜなら、基本的に人件費が安いからである。これは当然の話で、人件費が安いからこそ外国企業は中国に進出してきたのだ。

人件費が安いために消費が伸びないなかで、どう経済成長を実現するか——政府が考えたのは、輸出の拡大だった。自国民の消費が足りないのであれば、外国に消費してもらおうということ。つまり国外の消費能力に頼ったのである。

中国製品の本当の価値

海外で売るといっても、中国に高い技術力や高付加価値の商品があったわけではない。たとえば、中国の企業がいきなり日本でも売れるような自動車を作るのは無理な話である。中国は自由経済の一年生で、技術力も競争力もない。日本なら自動車や家電、フランスならファッションブランド、アメリカであれば軍需産業などの「売り物」があるが、中国にはそうしたモノがなかったのである。

中国は、衣類などの単純で安い製品を大量に売るしかなかった。そこには、中国の賃金の安さというメリットもある。

なにしろ安い労働力が大量にあるのだから、賃金、つまり人件費が安ければ、製品の価格も安く抑えることができる。それが、中国製品の国際競争力につながった。

中国は資源大国でもないし技術力もなかったが、唯一、豊富な安い労働力があった。中国政府はそれを最大限に利用したのである。

輸出に頼るしかない中国のジレンマ

こうして、中国では輸出産業が発展していった。

もともと、中国に参入してきた外資も輸出産業である。中国でモノを作り、中国で売ろうとしたわけではなかった。中国の安い労働力を使って生産した商品を外国で売ることが目的だったのだ。

当然、同じことを中国企業もすることになる。シャツや靴下などは付加価値の低い商品だから、特別な技術もいらない。中国企業も真似をしやすかったのである。

一つ一つの品物は安くても、量が多い。外国への「薄利多売」によって、中国は毎年二五％以上という対外輸出の伸び率を達成してきた。

つまり中国経済は、最初から輸出依存だったということになる。

アメリカを中心に、スーパーなどで売っている安い衣類はすべて中国製に替わった。そうして中国製品は世界の市場を席巻《せっけん》したのだ。また、衣類を大量生産することで、布（繊維）のニーズも高まった。

その背景で、莫大な設備投資のニーズも生じた。つまり鉄鋼やセメント、建築などの産業も発展していったのだ。

こうして輸出産業が中国経済を牽引《けんいん》してきたが、その前提条件は労働力が安いことだった。すると輸出が盛んになり、中国経済の輸出に対する依存度が高くなればなるほど、賃金を安く設定しなければならない。もちろん人民元の為替レートも低く設定する。

——しかしそれでは、内需が上がっていかない。

内需の拡大のためには賃金が上がらなければいけないのだが、賃金が上がると安い商品を輸出できないということになる。しかし、内需が拡大しないから、ますます輸出に依存するしかない。中国経済は、最初の段階からこのジレンマを抱えていたのである。

ここに、日本の経済成長との大きな違いがある。

日本の資本主義は、非常に健全だった。日本的経営の良さもあって、企業だけが極端に儲けるのではなく、同時に従業員の生活レベルも上げたのである。いわば家族的経営だ。

日本では一つの会社に長く勤めるのが一般的でもある。年功序列で、春闘もあって毎年ベースアップが行われた。

だが中国企業は、積極的に賃金を上げようとはしなかった。安い労働力こそが売り物だから、それができないのだ。外資にしても、賃金が安くなければ参入してこない。

しかも中国企業の経営者は、長期的な視点で経営していない。「この五年間でいかに稼ぐか」しか考えていないのである。

大事なのは、会社ではなく自分がいかに稼ぐか。それでも、賃金が安かろうが農村部から次から次へと労働力が流れてきた。

そのため、従業員と一緒に成長しようという考えは一切なかった。政府もそういう政策をしてこなかった。

一〇年間で一〇〇倍になった不動産融資

もう一つ、中国が経済成長のために行ったのは公共投資だ。

「改革・開放」スタート時の中国にはインフラがなかった。一九八〇年代まで、中国には高速道路が一本もなかったほどだ。

インフラ投資は、経済を引っ張る大きな柱になる。というのも、高速道路を作るには大量のセメントや鉄鋼が必要になる。そのことで重工業がさらに盛んになる。作業員の雇用も生まれる。このように、一九八〇年代、一九九〇年代は、公共投資が中国経済の柱の一つだった。

その一方、中国は住宅改革も行っている。

スタートは、一九九八年だった。この年、中国では「住宅制度改革」と称する大改革が断行されている。それは、以下のような改革だった。

それ以前、中国の都市部では、住宅というものは基本的に国や国有企業から賃貸の形で「配給」されるものだった。個人所有の持ち家は極めて少なかったのである。

しかし一九九八年、政府はこうした「住宅配給制度」を廃止。住宅の私有化を進めていった。その主な目的は当然、不動産業の本格的な発展を促し、経済成長の新たな原動力とすることだった。

この新政策が実施されていくことで、ゼロからスタートした中国の不動産市場は見る見るうちに拡大していった。中国政府の発表によると、一九九八年から二〇〇七年までの一〇年間、住宅の販売面積は毎年平均二五％の伸び率を記録している。

その結果、中国国民の住宅事情は急速に改善された。都市部では、二〇〇六年末の時点で「住居私有率」（日本でいう持ち家率）が八〇％になった。そして一人当たりの平均住居面積は二六平米を超えたと、中国の多くのメディアが政府関係の統計に基づいて報じている。

それまでは、中国の都市部では家族三代、一〇人で三〇平米の家に住むのが普通。応接間で寝たり、ダイニングで寝たりという生活が当たり前だったのだから、すさまじく大きな変わりようだ。

不動産投資が継続的に拡大していったのは、当然ながら銀行からの融資が継続的に行われたからだ。

しかし、住宅建築ブームが始まっても、国民に家を買うお金はなかった。そこで、中国に初めて不動産ローンというものができたのである。

一九九〇年代までの中国には、不動産という考え方がそもそもなかった。家は国から借りるものだったからだ。したがって当然、不動産ローンもなかった。

不動産がなかったところから、いきなり誰もが不動産を持てるようになった。その効果は大きかった。

『経済参考報』（二〇〇七年九月一四日付）は、政府筋の情報として、中国の各商業銀行の不動産業に対する融資（おもに不動産業者への開発融資と住宅購買者の個人ローン）の総額が一〇年間で一〇〇倍以上になったと伝えている。

一九九八年には四〇〇〇億元だったものが、二〇〇七年六月には四・三兆元にまで膨らんだのである。

この数字を見ただけでも、中国の不動産業の発展がどれほど凄まじいものだったかが分かる。それは、中央政府の思惑が見事に的中したということでもあった。いわば中国は、全国的に「世紀の大普請《だいふしん》」の工事現場となったわけだ。

しかも不動産業の急成長は、建築、鉄鋼、セメントといった主幹産業の成長を促進する効果もある。

不動産業の発展は、中国の高度経済成長を牽引してきた「成長エンジン」の主要部分だったのだ。

中国政府の発表した数字によると、**一九九八年からの一〇年間で、不動産業と建設業は毎年平均二〇％近く経済成長に貢献している。ＧＤＰに占める割合は一〇％近い。中国の**

経済成長は、不動産業の発展と繁栄なしには成り立たなかった。

一〇年間で一〇%ダウンした個人消費率

しかし、あまりにも急速な発展と繁栄は、史上最大の不動産バブルを生み出すことにもなった。それは、政府関係者と経済界の共通した認識でもあった。

二〇〇八年四月八日付の『京華時報』は、三月二九日に開かれた「二〇〇八年度中国不動産百強企業研究成果発表会」の席上で、中国人民銀行研究局の張濤《ちょうとう》副局長が、中国市民の収入に対する住宅価格の比率が世界で最も高いことを明らかにしたと報じている。

国際的に見れば、住宅価格は年収の三〜五年分というのが一般的だ。しかし中国では、明確な統計こそないものの、少なくとも年収の一〇年分、多く見積もれば二〇年分に相当するという。

つまり、世界で最も住宅価格が高い国だということである。

張濤氏はさらに、住宅価格の高騰にはバブルの部分もあることを認めている。そして値下げの余地は大きいとも指摘した。その前年から一部地域では価格下落が始まっていたのだが、それは暴騰《ぼうとう》した値段の調整が行われているに過ぎない。今後も下落の余地は大きく残されているというのだ。

近年、少なくとも経済問題に関しては、中国政府の幹部も時おり事実に即した冷静な見解を示すことがある。張濤氏の発言も、その一例といっていいだろう。

国全体の経済実力と一般庶民の購買能力からかけ離れている、暴騰した価格……それこそがバブルの証明だ。

バブルを憂慮する声は、二〇〇七年からあった。この年の一月に発表された中国社会科学院の研究報告は、「全国の不動産価格のバブル化は憂慮すべき事態である」と懸念を示した。

さらに同年夏には、高名な若手経済学者である中国社会科学院金融研究所の易憲容《えきけんよう》氏が「(不動産価格の高騰は)間違いなくバブルであり、バブルは必ず崩壊する時期が来る」と発言して大きな波紋を呼んでいる。

また、『中華工商時報』という新聞も、二〇〇七年七月三日付の記事で、「北京の不動産は価格の暴騰が実際の価値から大きく遊離しており、不動産投資のリスクが増大している」との警告を発した。

専門家だけでなく、中国の一般国民も「不動産バブル」という認識を共有していた。『中国青年報』が二〇〇七年一月に行った世論調査では、回答者の九六・八％が「中国の不動産はバブルである」との認識を示したという結果が出ている。

――この認識は間違っていなかった。まさに現在、不動産業の好況はバブルであったがゆえに崩壊しようとしているのだ。その詳細は、第三章であらためて紹介したい。

こうして、最初の段階から矛盾《むじゅん》を抱えたまま、中国経済は躍進《やくしん》を続けてきたのだ。外資が入ってくる。輸出が順調に伸びる。不動産の概念を導入する。そうやって経済成長を果たしても、大きな問題が残されることになる……消費が伸びないのだ。

一九九八年、中国経済に占める個人消費率は四八％だった。つまり全体の約半分である。これが二〇〇七年には三七％にダウンしている。経済規模が大きくなっているのに対し、個人消費率が上がっていないということだ。

ただ、消費は別のところで増えてはいる。それが不動産だ。実は、ここで紹介した個人消費の数値には、不動産が入っていない。ただ、だからといって問題が解決したわけではなかった。

リーマンショックで億単位の労働者が

輸出と投資、そして不動産で成長させてきた中国経済。その成功は大きかったが、問題もあった。

一つは、輸出に頼りすぎたことによる対外依存だ。二〇〇七年、中国経済の輸出依存度は、GDPの三六%。日本は一三%ほどだから、いかに依存度が高いかが分かる。

輸出の依存度が高いということは、世界経済の変化に弱くなるということ。かつて「アメリカがくしゃみをすると日本は風邪をひく」といわれたが、中国は「重病になる」といっていい。

もう一つの問題は、不動産で高度成長を支えてきたために、それがバブル化してしまったことだ。最初は住むために家を買っていたのだが、値段が上がれば「財産を持つ」という感覚になる。つまり投機の対象だ。投機の対象になることで、価格はさらに上がる。こうして暴騰が起こる。

本来であれば、二〇〇八年に北京オリンピックが開催されたことを契機に、不動産価格の暴騰を押さえつけるのが自然な流れだった。実際、そういう政策も行われたのだが、それは続かなかった。

それはなぜか――二〇〇八年、中国で株価が暴落したのだ。一方、国外ではリーマンショックが起きた。二〇〇九年には世界同時不況となり、中国の輸出産業は大ダメージを受ける。

こうして輸出がそれまでは毎年二五％の伸び率だったが、二〇〇九年にはマイナス成長に転じてしまった。しかも、その数値はマイナス一六％……これは「崩壊」といってもいい。

そうなると、工場で億単位の労働者たち（農村部から出稼ぎに来た若者たちだ）が失業に追い込まれてしまう。その結果、彼らの不満が爆発すれば、共産党体制の危機にもつながりかねない。

このとき中国経済を立て直すためには、二つの方法があった。一つは構造改革だ。輸出依存から内需拡大への転換である。そして、もう一つは不動産バブルの抑制だ。

しかし、リーマンショックによる世界同時不況で億単位の失業者が出てくるかもしれない状況のなかで、中国政府が行ったのは、いわば「急場しのぎ」の政策だった。構造改革、内需拡大とはまったく逆に、できるだけ輸出を増やそうとしたのである。それに加えて投資の拡大を行い、不動産価格を押さえつけるのもやめた。

急場しのぎの財政出動で五七兆円を

加えて、積極的な政策として財政出動も行っている。

当時、日本の新聞でも大きく報じられたように、二〇〇九年の財政出動の額は四兆元。公共事業による、いわゆるバラマキである。それも、とてつもなくスケールの大きいバラマキだ。

日本政府は財政、景気対策をやるにしてもせいぜい数兆円だが、このときの中国は、いきなり四兆元（当時の為替レートで約五七兆円）を投入した。

二〇一一年に世界的に話題となった、事故を起こした高速鉄道も、この財政出動によって作られたものだ。政府が景気を刺激するために大量の財政出動をする。それを受けて高速鉄道を作ろうということになり、二、三年で何千キロもの高速鉄道を作ったのである。

もちろん急スピードで作っているから、安全も品質も度外視。それが事故につながってしまった。いってみれば、あの高速鉄道は最初から人が乗るためには作られてはいなかったのだ。

ではなんのために作ったか——財政出動のお金を使うためである。

国内で消費が不足している。国民がお金をあまり使わない。では、誰が使うか。温家宝《おんかほう》が使う……。それが財政出動の実態だった。

銀行がいくらでも融資した背景

それでも足りないので、金融政策も行われている。一九九八年から二〇〇七年までの一〇年間、不動産価格の高騰は金融によって支えられてきた。つまり中国では、銀行からいくらでもお金を貸してもらえるという状況だったのだ。

しかしお金というものは、返ってこなければ貸し出しができないはずである。中央銀行が貨幣を刷って市場に投入し、それが銀行を通じて出回り、返済される。その循環が、中国にはなかった。

銀行が貸すのは簡単だ。しかし回収が難しかった。

一〇年で一〇〇倍に増えた不動産ローンの貸付額は、一〇年で回収できるというものではない。不動産ローンの支払いは、日本と同じように三〇年、三五年という長期にわたるもの……つまりなかなか返ってこないのだ。

なぜ、返ってこないお金を貸したのか。その理由は、「リスクの感覚がない」からだ。中国の銀行は、ほとんどが国有銀行。つまり働いている人間にとっても「俺の銀行じゃない」という感覚なのである。国がどんどん貸し出せという政策なら、それに従うだけ。しかも、どれだけ貸しても中央銀行からお金が回ってくる。心配することは何もない。貸す一方で構わないわけだ。

では、貨幣が足りなくなったらどうするか。中央銀行がさらに刷るしかない。簡単にいえば、印刷機を回転させるだけという安易な方法を採ったのである。

経済規模に比べ七〇倍以上増えたマネー

中国が貨幣の発行を増やさなければならなかったのには、輸出との関係もある。

中国のメーカーは、モノを作って外国に売る。そのことで主にドルを稼ぐわけだが、中

国の為替システムではそれが企業に入らず、政府にプールされる。企業には、政府から人民元として渡される形だ。

ということは、国内で人民元が増え続ける。これは本来ないはずの余分なお金だ。つまり輸出すればするほど人民元を刷らなければならないという状況である。

中国は外貨準備高が高いのだが、その分だけ人民元を刷る必要に迫られてしまうのだ。

そのため、中国国内で中央銀行から発行されて市場に流通しているお金は、「改革・開放」が始まった一九七八年には八五九億四五〇〇万元だったが、それから三〇年経った二〇〇九年はというと、実に六〇兆六〇〇〇億元……なんと七〇五倍になっている。

その間、経済規模の拡大は九二倍である。経済規模に比べ七〇倍以上もお金だけが増えているという状況だ。

つまり中国の高度成長、その実体は「造幣局経済」——お金を刷ることで輸出、投機、不動産を支えてきたのだ。

世界経済史上で前代未聞の数字

二〇〇九年、リーマンショックによって中国の輸出は大幅に減った。そこで行った財政出動も、お金を刷ることで賄《まかな》われた。つまり金融緩和政策だ。

二〇〇九年の一年間、中国の各銀行が企業その他に対して行った新規融資の総額は、九・六兆元。同じ年の中国のGDPは、三三・五兆元である。GDPの約三割が貸し出されるというのは、世界経済史上で前代未聞《ぜんだいみもん》のことだ。

そのことで、世界同時不況は乗り越えることができた。だがそもそも、二〇〇九年以前にもお金が大量に出回っている。

しかも二〇一〇年の一〜九月のGDPは約二七兆元。それに対して通貨供給量（M2）の残高は約七〇兆元である。歪《ゆが》んだ成長の構造を修正するはずが、問題点をさらに拡大してしまったのだ。

その結果、不動産バブルはさらに極端に膨らんだ。

二〇〇九年上半期、中国の各銀行が不動産開発業者に対して行った新規融資の総額は五三八一億元。前年同期比で三二・六％増えている。個人ローンの貸し付けは、六三％増である。

金融緩和を行ったことが、結果的にさらなる不動産価格の暴騰につながった。しかも二〇〇九年に入ってからは輸出が減っている。するとどうなるか……。

輸出が増えないということは、需要がなくなるということだ。にもかかわらず、銀行からお金を借りることができる。そうなると、企業は融資されても設備投資や生産拡大をしなくなる。

では、融資されたお金はどう使うのか。不動産投資だ。各企業は、一斉に不動産投資をするようになった。

「どうせお金を借りるのなら、モノが売れないのだから設備投資ではなく投機に使おう」

そういう考えに傾いていったのだ。

不動産価格が急騰し、多くの者が不動産投資に走る。こうして不動産バブルは決定的なものになってしまった。

個人消費の半分が向かい不動産バブルに

中国では二〇〇七年ごろに不動産バブルの膨張が深刻な経済問題となった。だがその後、二〇〇九年の春ごろから不動産バブルが再燃……その勢いは史上最大といえるものになっていった。

国土資源部の発表した統計では、二〇〇九年、中国全土の不動産平均価格は二五・一%も上昇。上海、北京など六つの大都市では、不動産価格の伸び率が何と六〇%にもなった（『人民日報』の関連記事より）。

一年間でこれほど値上がりするというのは、まさに前代未聞。日本でも見られなかった事態だ。この史上空前の不動産バブルは、翌二〇一〇年も続いた。

不動産価格は、一月～三月、七〇の大中都市で毎月平均一〇%程度の伸び率を記録した（国家統計局が二〇一〇年四月一四日に発表した数字）。その少し前、三月三一日には国土資源部が「中国の不動産バブルはすでに深刻な水準に達している」との見解を示している。

二〇〇九年の不動産購入額は、約六兆元。年間個人消費総額が一二兆元だから、その半分が不動産に充てられていたということだ。中国のある専門家が、この状況を「気の狂った賭博場」と評したことは印象深い。

こうした状況になった直接の原因が、二〇〇九年に中国政府が行った放漫融資だ。先述したように、二〇〇八年、世界金融危機の影響で、中国経済を牽引してきた対外輸出が大打撃を受けた。毎年二五％以上の伸び率を記録してきた対外輸出は、二〇〇九年には一六％のマイナス成長に……輸出関連企業を中心に、全国の中小企業の約四割が潰れた。

そこで中国政府は、二〇〇九年初頭から金融緩和政策という「大博打《おおばくち》」を実施したのである。

二〇〇九年、中国の新規融資額は約九兆六〇〇〇億元に膨らんでいる。実に、前年比九六％増というとてつもない数字だ。

この放漫融資が生んだ最大の副作用が、新規融資の多くが不動産投機に流れたことによる不動産バブルだったのである——。

不動産バブルは実体経済の下支え策から

二〇〇九年には、新規融資の約三割が不動産投機に流れている。実体経済の急激な落ち込みを食い止めるために行ったはずの融資だったが、その多くが不動産投機に回ったのだ。その結果、実体経済とは無関係のところでバブルだけが膨らんだわけである。

その理由の調査に乗り出したのが、北京大学商学院教授の頼偉民《らいいみん》氏だった。頼教授は二〇〇九年後半に全国六〇都市、一五〇〇の不動産物件の販売状況について現地調査。不動産バブルの実態の解明に努めた。

頼教授の問題意識は、「経済情勢は決して芳《かんば》しくないのに、なぜ不動産市場だけがこれほど繁栄しているのか」というもの。そして調査の結果、出た結論は、「実体経済の状況が良くないからこそ、不動産市場が繁栄してバブルが膨らんだ」というものだった。

頼教授の調査結果によれば、不動産購入者の約八割は住むためではなく、投資のために購入したという（実際、二〇一〇年の上海万博を観にいった多くの日本人が、昼間、高速道路沿いに見た高層アパートの部屋に、夜、まったく灯《あか》りがともっていなかったのを目撃している)。

なぜなら、物価が上がっているなかでお金を銀行に預けたままでは価値が下がっていく一方。しかし不動産なら、今後もどんどん値が上がるから資産が確実に増える。いまの経済状況下では、不動産を買う以外に良い投資先もない――。

インフレが進行するなか、不動産投資こそが資産保存・増殖の最も有効な手段であり、実体経済全体の不振にあって他に魅力的な投資先がなかった。そのことが、人々を不動産投資に走らせたのである。

実体経済を救うための金融緩和がバブルを膨らませたのは皮肉な結果だった。しかし人々にしてみれば、実体経済が沈んでいるからこそ不動産投資に走らざるを得なかったのである。

生産活動は融資を引き出すための隠れ蓑

二〇〇九年以降、大量の資金をもって不動産投資に参入してきた人々のなかには、中小企業の元経営者が非常に多かった。二〇〇八年の世界同時不況以前にはアパレルや玩具などの輸出産業に関する企業を経営していたのだが、輸出不振のなかで会社を畳み、企業の売却金を元手にしてさらに金を借り、不動産投資に参入してきたのだ。

「いまのご時世では企業経営しても損するばかり、やはり不動産投資が一番だ」

彼ら元経営者は、頼教授に口を揃えてこういったという。

また、企業を経営しながら不動産投資に熱を上げる者もいる。企業を経営し、生産活動を行いながらも、それは利益を上げるためではないという。

輸出不振のなかにあっては、生産すればするほど損をする。それでも企業を経営し、生産活動を行うのは「銀行に見せるため」だ。生産活動をしていることを銀行に見せ、そうすることで融資を引き出すのである。

「引き出した融資をどう使うかはこっちの自由。当然、全額不動産投資に使ってしまう。モノを作って売るのとは、儲けがぜんぜん違う」というわけだ。

元経営者も現役の経営者も、さらには一般の個人投資家も、競って不動産投資に参入し、不動産バブルを膨らませてきた。そしてそれが、虚像に過ぎない「経済繁栄」を作り上げ、経済成長を支える大きな要素となったのである。

このように二〇〇九年以降、中国経済はバブルによって支えられ、バブルの上に成り立ってきたのだ。

金融緩和は、実体経済の落ち込みを救うためにあった。しかし実際には、融資の多くが不動産投資に流れてしまったわけである。そうして、実体経済とは無関係なバブルだけが膨らむことになった。

――それが、二〇〇九年の中国における「経済回復」の実態だったのだ。

白菜を買う感覚で不動産を買い漁る人々

二〇〇九年の春から再燃の兆《きざ》しを見せた中国の不動産バブル。この年の夏頃には、その膨張ぶりは凄まじいものとなっていた。

同年七月二九日付の香港紙『大公報』の記事で、当時の不動産ブームの様子が活写されている。少し長くなるが、抜粋《ばっすい》したうえで引用してみよう。

「今年に入ってからのわずか半年間で、不動産市場には大逆転ともいうべき激変が起きた。どん底に陥ったはずの市場はいきなり蘇《よみがえ》って熱気に溢《あふ》れかえり、かつてないほどの繁栄ぶりを見せはじめたのだ。

人々は自由市場で白菜の一株二株を買うような感覚で物件を買い漁《あさ》っている。新規分譲の販売店の前で数千人が列を作っている光景があちこちで見られ、物件の成約件数は爆発的に伸びた。そして、不動産価格はうなぎ登りの状態である。

不動産市場はすでに、いっさいの理性と冷静を失った賭博場と化している。開発業者も銀行も博打をしている。そして購買者もまた、博打をしているのだ。中国経済全体が、この博打に巻き込まれているといえる。

開発業者は天文学的な金額の大金を注ぎ込んで土地を買い、プロジェクトを進める。銀行は住宅融資を気前よく行う。実体経済が落ち込んでいるなか、製造業からサービス業まで、あらゆる業界の大中小企業が本業を忘れたかのように『不動産開発業者』に変身した。

ネコも杓子《しゃくし》も一斉に不動産開発に手を出したという有り様である。

業者と銀行は協力してバブルを膨らませ、そこから莫大な利益を手に入れようとしている。そのなかで、不動産価格の無限の上昇を大いに期待し、堅く信じて、私営企業の経営者、銀行や企業の高級管理層、公務員と学校の教師、つまりこの国で中流以上と思われる人々のほとんどすべてが、なりふりかまわずいっせいに不動産の投機に走り出した。

銀行から借金して三件や五件、あるいは十数件の不動産物件を買い込み、将来、大幅に値上げされた後の一攫千金《いっかくせんきん》を夢見ているのだ。

業者にとっても銀行にとっても個人にとっても、このマネーゲームに参加してきたすべての人々にとって、今後、不動産価格がさらに上昇していくこと、不動産価格が絶対落ちないことは前提条件だ。彼らの勝算と希望はこの一点にかかっている。不動産価格が落ちないことは、彼らにとって命綱なのである。

だが、中国の不動産価格は果たして永遠に上昇していくのだろうか。本当に落ちることはないのだろうか。いったん落ちたらどうなるのか。それこそが、肝心《かんじん》な問題なのである」

不動産の実需は四割だけ

このように、経営者、元経営者、さらに個人投資家も不動産投資に狂奔《きょうほん》した不動産バブル。開発業者は多額の資金を投入して土地を買い、プロジェクトを進めた。銀行は際限なく融資する。公務員や学校の教師など、中流以上の人間のほとんどすべてが不動産投資に夢中になり、いくつもの物件を買い込んで金儲けに勤《いそ》しんだ。

銀行に預けるより、あるいは生産活動をするより、そのほうがよほど確実で、なおかつ一攫千金の夢を見られたからだ。

しかしそれは、あくまで「博打」に過ぎない。不動産投資で儲けることの大前提は、不動産価格が絶対に下がらないこと、今後も上がり続けることである。

それが危うい「命綱」であることは、中国より先にバブルを経験した日本のみなさんにはよくお分かりのはずだ。中国にも、危機感を抱く人はいた。たとえば、中国社会科学院金融研究所研究員の易憲容《えきけんよう》氏だ。

易氏は、二〇〇九年八月二九日付の『人民日報（海外版）』に寄稿し、不動産バブルの「二つの特徴」について分析している。

二〇〇九年の不動産バブルの特徴の一つは、投機的需要が実際の消費需要を上回ってバブルを支えていたことだった。住むために買う人よりも、投機のために不動産を買った人が多いのである。試算によれば、不動産の消費的需要は約四割。それに対して、投機的需要が六割を占めていた。

「中国の不動産市場はすでに、正真正銘《しょうしんしょうめい》の投機市場となったといって良い。バブルはまさにこのような投機的需要から生まれたものである」

易氏はそう断言した。

バブルのもう一つの特徴は、「投機資金はどこから来るのか」という問題と関連している。易氏によれば、不動産投資を支えたのは「銀行からの無制限な融資拡張」だ。つまりバブルの特徴の二つ目は「無制限な融資拡張によって支えられているバブル」ということになる。

そして易氏は、このような警告を発した。

「中国で膨らんでいる最中の不動産バブルは、まさしく中国版のサブプライムローンである。われわれは、中国における米国型金融危機の再来を大いに警戒しなければならない」

投資目的が主であること、無制限な融資拡張をもとにしていること……たしかに中国の不動産バブルはアメリカのサブプライムローンによく似ている。

中国国家統計局の警句

国家機関である中国国家統計局も、自局開設のサイトにおいて論文を掲載。「不動産価格の暴騰は金融危機のリスクを増大させた」との見解を示している。

論文では、二〇〇九年上半期に中国の各銀行が不動産開発業者を対象に行った新規融資が五三八一億元に上ったとしている。これは前年同期比で三二・六％増、個人住宅ローンへの融資額は二八二九億元で、前年同期比六三・一％増である。

しかも、不動産開発企業の大半は自己資本率が低く、銀行からの融資に過度に頼って経営している。資金の依存度は平均五〇％以上。都会の一部大手開発業者は、開発資金の八割以上を銀行からの「融資の輸血」に頼っている。

それはつまり、不動産業が背負うリスクの大半を銀行に肩代わりさせているということ……であれば、不動産価格が暴落し、バブルが崩壊すれば即、金融システムの危機に直結することになる。

中国の金融システムは事実上、不動産バブルの「人質」になっていると論文は指摘している。

また、この論文では、不動産バブルの膨張が中国の産業構造のバランスを完全に崩したとも指摘している。

輸出が減り、実体経済が落ち込んだなかで、大手企業を含む多くのメーカーが本業から離れ、多角経営を模索していた。その一つが不動産である。中国石油化工公司や国家電力公司といった超大型国有大企業、「中国の松下」とも呼ばれる電器メーカーのハイアール公司までもが不動産開発業に参入してきた。

そうなると、中国の産業全体が徐々に不動産業にシフトし、不動産業を基軸とする、いわば「不動産一極集中」とでもいうべき歪《いびつ》な産業構造となってしまう。そこで不動産業の繁栄が終息すれば、中国の産業全体が危うい状況に立たされる……。

中国国家統計局の論文は、以下のような警句で締めくくられている。

「そういう意味では、不動産バブルの膨張は金融システムを『人質』にしたと同様、中国の産業全体をも『人質』にしているわけである。不動産バブルが崩壊したときには、人質となったこの国の金融も産業も、もはや無事ではいられない。バブル崩壊の道連れにされて共倒れとなる危険性は大である」

内需拡大は「夢物語だ」

一方で、二〇〇九年から不動産バブルが再燃した当初には、不動産業に対する期待の声も大きかった。いわば「不動産待望論」である。対外輸出が大きく減少、経済成長の原動力が決定的に不足しているなかで、不動産業の繁栄によって経済回復を図ろうということだ。

名門として知られる復旦《ふくたん》大学の金融・資本市場研究センター主任である謝百三《しゃひゃくさん》教授は、二〇〇九年二月二八日、上海の地元新聞『東方早報』に以下のような内容の寄稿をしている。

「中国経済はいままで、対外的には輸出を頼りにして、国内的には不動産業を頼りにして高度成長を維持してきた。いまアメリカの金融危機の発生で輸出は徹底的に駄目になった。それでは、経済は一体どうやって成長していくのか。答えは簡単明瞭だ。不動産業のさらなる発展に頼っていく以外に方法はないのではないか」

謝教授は、内需拡大を「夢物語に過ぎない」と断じている。

国民全員の貯金額は二一兆元だが、一人当たりにすればわずか一・五七万元。病院で具合を見てもらうだけで数万元が吹き飛び、子どもを大学に行かせるのに六万〜七万元かかるというのに、一・五七万元では何もできない。そんなご時世に庶民のわずかな貯金を狙っても意味がないというわけだ。

それなら、不動産業を再興すべきだと謝教授は論じている。

不動産業が繁栄すれば、鉄鋼、セメント、運送、家具、内装など四二もの産業がいっせいに繁栄し、成長率も自ずと上がる。不動産業が興《おこ》れば中国経済が興る。不動産業が衰退すれば中国経済も衰退する。

「だから、中国経済を救う唯一の妙案は、不動産業を確実に繁栄させることである」

さながら不動産業界のコマーシャルのようでもあるが、謝教授の主張には、ある程度の真実も含まれている。

国民大半の所得の低さ、社会保障システムの不備は、確かに内需拡大の足かせになっているからだ。また不動産業の繁栄と発展は、間違いなく、中国の経済成長を支えてきた最大の要素でもあるのだ。

九年で一〇倍になった不動産価格

だが実は、「不動産待望論」は「不動産元凶論」と同じ根っこを持つものでもある。

「不動産元凶論」とは「不動産価格の高騰が購買者の家計を圧迫して逆に内需不足の原因

を作り出すことになる」という論理である。

二〇〇九年三月、中国国家発展改革委員会から出されたレポートを見てみよう。

このレポートは、冒頭から「不動産の高価格化は国民の消費を抑制する主な要素である」と断じ、さまざまな数字を用いてそのことを実証しようとしている。

たとえば、**二〇〇〇年から二〇〇八年までの九年間、国民による消費の度合いを示す個人消費率は四八%から三七%まで下がっている。それに対し、不動産価格は約一〇倍に上昇。二〇〇七年には前年比で九・六%も上がっている。**

すなわち、不動産価格が上昇するに従って、国民の消費レベルが下がっているということだ。こうした不自然な現象を、レポートはこう解釈している。

不動産価格の上昇が、多くの消費者の持つ購買力を不動産の購入というブラックホールに吸い込み、不動産購入以外の個人消費を低く抑え付けている――。

より分かりやすくいえば、多くの消費者たちは貯金をはたいて不動産購入のための頭金を払い、数十年ものあいだ高いローンを払い続ける羽目《はめ》になっている。そのため、彼らから多大な消費能力を期待することはもはやできない、ということだ。

調査によると、このとき大都会では分譲住宅・マンションの平均価格が一般市民の世帯可処分所得の一五倍から二〇倍に達していた。先進国では通常六倍程度。中国の不動産価格は法外に高く、一般市民の家計をそれだけ圧迫しているということになる。

不動産業はGDPの何％を占めるのか

このような「不動産元凶論」に対して、「不動産一極集中だからこそ、中国経済における不動産業の重要性は無視できないのではないか」と反論した者もいる。

中国国務院発展研究センター・マクロ経済研究部長の余斌《よひん》氏は、二〇〇九年一一月二三日、北京で開かれた経済関連のフォーラムの席で、「不動産業の安定した発展が何よりも重要である」と訴えた。

「いまの中国においては、不動産業は国民経済全体と深い関わりを持つ重要な基幹産業である。全国のGDPの約六・六％が不動産業によって生み出されていて、固定資産投資の四分の一が不動産投資によって占められている。そして、不動産業に依存し、あるいは関連している産業は、六〇以上にも達している」

続けて余氏は、「不動産業が中国経済の命脈である」と高らかに宣した。この「命脈宣言」は後に「名言」として全国的に流布《るふ》され、不動産バブル擁護派の合い言葉となった感もある。

また中国国家統計局のチーフエコノミスト・姚景源《ようけいげん》氏は、なぜか先述の中国国家統計局の「不動産バブルの膨張は金融リスクを増大させた」という主張とは逆の立場を取った。

以下は二〇一〇年一月一八日、姚氏が経済専門サイト『中国経済網』で語った内容である。

「不動産価格の高騰がバブルの膨張に対する人々の憂慮を生み出したのは認めるが、多少はバブルの要素があったとしても、われわれはやはり国民経済における不動産業の重要性を十分に認識しておかなければならない。はっきりといって、自動車産業と同様、不動産業こそがわが国の国民経済を支える大事な柱であり、中国経済の支柱産業である。

二〇〇九年の経済回復も、実は不動産市場の繁栄によって実現したものだから、今後においても、経済を持続的に成長させていくために、われわれは不動産業の安定した発展を図っていかなければならない」

史上最大の不動産バブルの膨張が最盛期を迎えた二〇〇九年の夏から二〇一〇年の年初にかけて、中国国内では、不動産業の繁栄と不動産バブルの膨張をどう見るべきかに関して、こうした大論争が巻き起こった。

しかし先述したように、一見して正反対に見える「不動産待望論」と「不動産元凶論」は、同一の根拠をもとにしている。いわば表裏一体の関係なのだ。

不動産元凶論者は、「中国の産業において不動産一極集中が進んでいる」とし、経済の成長が不動産バブルの膨張に依存している事実については、「不動産バブルは悪い、中国経済は危ない」としている。

それに対し、不動産待望論者も「不動産一極集中により、不動産業は中国経済の支柱となり命脈となっている」としている。

中国経済において、不動産バブルの膨張は内需拡大の足かせとなり、産業の構造を歪《ゆが》める「経済のガン」となった。しかし一方で、中国経済はこの「ガン」そのものを栄養剤にして成長を維持していかなければならない。それが、中国経済の最大のジレンマなのである。

「不動産が中国経済の支柱であり命脈」であるなら、「支柱」が崩れ「命脈」が絶たれたらどうなるか……それは論ずるまでもない。

北京市民の年収ではマンション一平米以下

この当時、中国では『蝸居（カタツムリの家）』という連続ドラマが爆発的な人気を呼んでいた。

架空の都市「江洲《こうしゅう》（上海がモデル）」に住む大卒のサラリーマン夫婦が、双方の両親から借金して念願のマイホームを手に入れたものの、毎月六〇〇〇元（約九万円）の住宅ローン返済のために節約に励み、多くの辛酸《しんさん》をなめながら、やがて生活の重圧に押しつぶされていくという物語である。

このドラマが大きな反響を呼んだのは、主人公と同じような生活をしている人々が多くいるからだ。

彼らは「房奴《ファンヌー》」と呼ばれている。「住宅の奴隷」という意味だ。借金で頭金を払ってマンションを買い、それからの数十年間、夫婦二人の収入の三分の一から半分に相当する「地獄ローン」を払い続ける。

では、その「房奴」の生活とは、どんなものか。『経済参考報』（二〇〇九年九月四日付）の記事が伝えている。

「外食も旅行も娯楽も極力控えて子どもを産むこともできない。会社をクビになったらどうなるか、給料が減らされたらどうなるか、と心配しながら仕事に精を出し、病気になっても会社を休めない」

このような悲惨な生活を続ける「房奴」を生んだ背景にあるのは、いうまでもなく不動産価格の暴騰だ。

北京の場合、二〇〇三年には市中心部の分譲マンション価格は一平米につき四〇〇〇元ほどだった。だがバブルによって、それが三万元台に突入。一方、北京政府が発表した北京市民の二〇〇八年度の一人当たり可処分所得は二万四七二五元である。市民一人の年収では、マンションどころか一平米も買えないという異常事態だ。

上海の状況もひどいものだ。二〇〇九年八月七日付の地元紙『新民晩報』が伝えたところによると、住宅購入のための上海市民の負担はパリ市民の一一倍だという。上海・浦東《ほとう》地区中心部の不動産価格は、東京都心を上回っている場合もある。

中国では、中産階級の多くが「房奴」となり、生活苦に悲鳴を上げている。そんな状況では内需が拡大するのは不可能。不動産バブルで作り出された「繁栄」は、未来の成長、その持続性を奪ってしまう要因になった。

また、社会安定の基盤は健全な中産階級の拡大だが、それも望めそうにない。高所得層でさえ高額な住宅ローンに喘《あえ》いでいるのだから、中産階級が育つのは難しいのだ。

そして、不動産バブルが崩壊してしまえば、「房奴」たちは資産の大部分を失うことになる。それでも、ローンだけは払い続けなければならない……。

第二章　「成長のための成長」の罠

深刻なインフレを退治した副作用で

第一章で解説した不動産バブルと時を同じくして、中国ではインフレの問題も出てきた。

二〇〇九年の年末から二〇一一年にかけて、野菜、豚肉、米などの食品価格が上昇を続け、対前年同月比で十数%も上昇することになった。

ここまで徹底したインフレになると、国内の貧困層の生活が立ち行かなくなってしまう。簡単にいえば「食っていけなくなる」わけだ。これでは社会的な大動乱を招きかねない。

そのため、二〇一一年からはインフレ退治が中国政府の至上命題になった。ただ、このインフレは自分たちの経済政策のつけが回ってきたものだ。ひたすらお金を刷って経済を回すというやり方が、限界に達したのである。もう二度とこの手は使えなくなった。

インフレ退治のためには、これまでと逆のことをやる必要がある。つまり金融引き締めだ。その方法の一つが、預金準備率を引き上げること……銀行が貸し出しに使えるお金を減らすのだ。

つまり、これまでのような、めちゃくちゃな融資ができなくなったということである。これはある程度、成功した。ただ、それで物価が下がったというわけでもない。あくまで物価の上昇を抑えたというだけに過ぎないのである。

貨幣を刷りまくり、いくらでもお金を貸す状態から、一気に金融引き締めへ——中国政府は極端から極端への荒療治をやったということになる。

そのことで、また問題が出てきてしまった。中小企業が危機に瀕したのである。

そもそも、銀行は中小企業の面倒をあまり見てくれない。貸し出すなら、まず大企業からだ。

こうして中小企業が経営難になり、二〇一一年から二〇一三年までに倒産が相次いだ。倒産には至らなくても、会社を畳むことが多くなった。その背景には、会社をやるより不動産に投資したほうがいいということもある。

その不動産も、売れなくなっていった。日本の場合と同じように、中国でも不動産を買うには、基本的に銀行でローンを組む。しかし金融引き締め政策の結果、ローンが組みにくくなって不動産が売れなくなり、中国国内には大変な量の不動産の在庫があふれることになった。

売れ残りの不動産の在庫は、時価総額にしておよそ五兆元にも達した……GDPの一割以上である。この辺の事情は、第三章で詳細に解説する。

不動産も売れないとなると、固定資産投資の拡大という道は閉ざされてしまう。これ以上に固定資産投資を拡大しても意味がないということになるわけだ。

中国の「死に至る病」とは

このインフレはどういったものなのか。状況を見てみよう。消費者物価指数は二〇〇九年一二月以降、継続的に上昇。食品を中心とした消費材全般の物価が月を追うごとに値上がりし、庶民の生活を大きく圧迫している。

そんななか、中国政府は「あらゆる金融手段」で金融の引き締めを行い、必死でインフレの抑制を図った。だが、その結果として多くの中小企業が経営難に陥ることにもなった。そのことが経済の冷え込み、成長率の低下につながるのも現実的な問題になっている。

金融引き締めは投資を細くし、不動産業も一気に冷え込んだ。不動産バブルの崩壊は、いまや現実的な大問題となっている。

インフレに襲われている以上、金融引き締めは避けられない。しかし金融引き締めは経済を圧迫する。いってみれば、インフレは中国にとって「死に至る病」なのである。

投資会社の野村ホールディングスと日本経済新聞社が共同で運営している『man@bow《まなぼう》経済について楽しく学べる!!』というサイトから引用して、インフレについて簡単に説明してみよう。

〈インフレとは、モノの値段が全体的に上がり、お金の価値が下がることです。

インフレの原因のひとつに好景気があります。景気が良いとモノがよく売れて、需要が供給を上回り、モノの値段が上がります。（ディマンド・プル・インフレ）

また、賃金や原料の高騰などで、モノを作るための費用が上がり、モノの値段が上がることがあります。（コスト・プッシュ・インフレ）〉

つまり、インフレには二つの原因があるということだ。

一つは「ディマンド・プル・インフレ」。好景気のなかでモノへの需要が供給を上回った結果、モノの値段が上がってしまうというケースである。もう一つは「コスト・プッシュ・インフレ」。原料や賃金などのモノ作りのコストが上がり、それがモノの値段を押し上げることでインフレになる。

では、中国のインフレはどちらのケースなのだろうか。その内実を分析してみると、実はどちらにも当てはまらないのである。

重要産業の大半が「生産過剰」

試みに、中国のインフレが「ディマンド・プル・インフレ」なのかどうかを検証してみよう。確かに、中国では何年も好景気が続いている。だが、中国経済では「需要が供給を上回る」ような光景がほとんど見当たらないのだ。

実際は、むしろその逆。中国ではここ何年間も「供給が需要を上回る」ような状況だ。つまり「生産過剰」もしくは「供給過剰」と称されるもの。中国経済は実は二〇〇六年の段階から、深刻な「生産過剰」に陥っている。

中国人民銀行天津《てんしん》分行研究所の研究員グループが二〇〇六年四月に発表したレポートによれば、二〇〇六年初頭の時点で中国の主要工業品目は軒並み生産力が過剰になっていたという。

なかには、生産能力全体の六〇％が余剰であるという深刻な業界もある。

たとえば、鋼材は年間生産力が四億七〇〇〇万トン。これに対して余剰生産力は一億トンである。セメントは一三億五〇〇〇万トンに対し余剰が三億トン。

自動車産業は今後の成長が最も期待されている分野だが、二〇〇五年末の時点で、自動車工場の年間生産力八〇〇万台のうち、二三〇万台が過剰となっていた。

もう一つの花形産業である通信機器業に至っては、さらに深刻だ。携帯電話の年間販売量が七〇〇〇万台程度なのに対して、生産能力は五億台に達しているのである。

当時、中国商務部の副部長だった高虎城《こうこじょう》氏は、二〇〇六年の四月中旬に開催された関連会議において、次のような発言をしている。

「一部業界における過度な投資の結果、生産能力の過剰は日を増して深刻化している。鉄鋼、セメント、電力、石炭、紡績などの主幹産業はすべて過剰状態となった」

二〇〇六年、国内の主要消費品目のなんと七〇％近くは「供給過剰」になったそうだ。たばこ・酒類などの嗜好品《しこうひん》の「供給過剰率」は三六％。薬品類は五〇％の品目が供給過剰だ。

鉄鋼業から自動車産業まで、たばこから薬品まで、中国の経済と人々の生活を支えている重要産業の大半が「生産過剰」なのだ。

消費は増えず設備投資だけが急成長

その後も、この状況に大きな変化はない。

二〇〇九年一二月四日付の『中国新聞網』の記事を見てみよう。中国工業情報化部は一二月三日に電力、石炭、鉄鋼、セメント、非鉄金属、コークス、製紙、革、印刷などの九大産業を含む生産過剰対象業種の再編計画をまとめた。

その結果として分かったのは、二〇〇九年末の時点で、中国の基幹産業である「九大産業」が、依然として生産過剰のままだということだった。

それ以前、五月一二日には、中国国家発展改革委員会が、国内の豚肉供給が過剰状態に傾いていることを発表している。価格の下落によって、一部の豚農家には赤字が出ているという。

豚肉は中国国民の主な食材……それが供給過剰で赤字に陥った農家もある状況なのだ。

二〇一一年には、鉄鋼産業やセメント産業の「生産過剰」問題が再浮上。この年の一月二七日、中国政府は二〇一〇年の鉄鋼生産量が九・三％、セメント生産量が一五・五％伸びたことを明らかにしている。

そしてそこには、「まったく使うあてのない深刻な生産過剰が含まれていた」との見解も示した。

「生産過剰」は、まるで中国経済の「持病」のようである。

そうなってしまった理由は、実に簡単だ。一九七八年から二〇一〇年までの間に、中国のGDPは毎年平均九・八％成長している。しかし、同期間中の物価変動を考慮した個人消費は平均八・八％しか成長していないのだ。

その一方で、**企業の設備投資を含めた国内の固定資産投資の伸び率は、一九七八年からの三十数年間で、毎年平均二五％以上の伸び率を示している。つまり、消費がさほど増えていないのに、生産能力の拡大につながる設備投資だけが急成長を続けてきたのだ。当然ながら、結果として深刻な生産過剰が生じることになる。**

生産過剰である以上、中国のインフレは「好景気で需要が供給を上回った」ディマンド・プル・インフレではありえない。

中国のインフレのタイプとは

では、中国のインフレは原料や人件費などの高騰が原因となるコスト・プッシュ・インフレなのだろうか。

確かに、二〇一〇年以降のインフレでは、人件費の上昇や工業製品の原材料価格の値上げなどが起きている。ただ、だからといって中国のインフレがコスト・プッシュ・インフレだと決め付けるには早いだろう。これらの要因は、場合によってはインフレを生み出す原因ではなく、インフレによって生じた結果だという可能性もあるからだ。

つまり、インフレで物価全体が上がっていくなかで、人件費も原材料価格も一緒に上昇した、ということもありうるのだ。

では、中国のインフレがどのようなタイプのものか、どう判定すればいいのだろうか。それを考えるには、いったんインフレそのものから離れて、中国政府がインフレを退治するためにどんな措置《そち》を採ったかを見てみるのも有効だろう。

つまり、中国政府のインフレ退治策がどのような性格のものなのかを見てみれば、中国このインフレの性質も分かってくるということだ。このような視点から観察すると、中国のインフレが人件費と原材料価格の上昇を原因とするものではないことが、すぐに分かってくる。

　というのも、人件費や原材料価格がインフレの原因なら、中国政府はインフレ抑制策として、これらを抑えようとするはずだ。ところが実際には、政府は貨幣全体の供給量を調整するための金融引き締め政策に主眼を置いた。つまり中国政府は、インフレの原因は人件費や原材料価格の高騰ではないと判断したのだ。

　では、中国におけるインフレはどのようなものなのか——それは、先述した二つのタイプのインフレではなく、「貨幣要因によるインフレ」なのである。

　そう判断する理由は、中国政府がインフレ退治のために採った一連の金融措置にある。中国政府のインフレ抑制策は、すべて貨幣の供給量を調整するための措置だった。

中国全人代が認めたインフレの原因

　インフレという現象を煎《せん》じ詰《つ》めていえば、一種の貨幣現象である。貨幣の価値の変動という現象として捉えることができるのだ。インフレとは物価の上昇ということだが、それは貨幣価値の下落という意味でもある。

貨幣それ自体は、単なる金属であり紙でしかない。それがモノやサービスと交換できるからこそ価値があるのだ。

現代の経済システムのなかでは、企業などの生産部門が付加価値のあるモノやサービスを生み出し、中央銀行がそれに対応する金額の貨幣を発行する。その貨幣を、人々はモノやサービスと交換する（買う）。それが基本的な仕組みだ。

ということは本来、モノやサービスと貨幣の価値は一対一であることが理想だ。お互いにバランスの取れた量が流通すれば、貨幣の価値は上がりも下がりもしない。つまりインフレやデフレにはなりにくい。

ただ、モノやサービスとは違い、貨幣は簡単に増やすことができる。中央銀行が貨幣の発行権を濫用《らんよう》して、造幣用の印刷機を回転させればいいわけだ。

しかし、モノやサービスの増減とは無関係に貨幣だけが刷られて増え、それが中央銀行によって市場に供給されると、どうなるか。

当然、経済全体における貨幣とモノやサービスとの一対一の均衡関係が崩れてしまう。

モノやサービスよりも市場に流通している貨幣のほうが多いわけだから、その貨幣は「空虚な貨幣」ということになる。モノやサービスの裏付けがないのだ。極端にいえば、紙くずが増えただけということになる。

この、紙くずが増えただけの状態、価値のない貨幣ばかりが増えた状態が中国のインフレなのだ。貨幣に価値がないということは、モノやサービスの価値が相対的に上がったということである。

お金の刷り過ぎでインフレになるなんて、一国の経済でそんなことが本当に起きるのか……しかしこのことは、政府高官も認めている。

中国人民銀行（中央銀行）の元副総裁で、現在、全国人民代表大会（全人代）財政経済委員会の呉暁霊《ごぎょうれい》副主任は、二〇一〇年一一月二二日発行の『中国経済週刊』で、こう語っている。

「過去三〇年間、われわれはマネーサプライ（貨幣の供給量）を急増させることで、経済の急速な発展を推し進めてきた。その結果として、いまのインフレがある」

中国の国家発展改革委員会の高官も、同じような認識を示した。

二〇一〇年一一月一〇日のことだ。国家発展改革委員会価格局の周望軍《しゅうぼうぐん》副局長は、中国国務院開設の公式サイト『中国政府網』での取材に答えて、中国におけるインフレの原因を四つに分けて解説している。

その筆頭に挙げられたのが、貨幣の過剰供給だった。

全国人民代表大会も国家発展改革委員会も、中国における最高レベルの権威ある国家機関だ。全人代は、日本の国会に相当する機関。国家発展改革委員会は国家の経済運営を司る中枢機関である。

このような二つの機関の高官が、インフレの主な原因を貨幣の過剰供給だとしているのだから、その信憑性《しんぴょうせい》は高い。

三〇年で七〇〇倍になったマネーサプライ

中国が膨大に貨幣を発行してきたこと、すなわち貨幣の過剰供給に関しては第一章でも述べたが、経済はやはり、数字をもって語るべきもの。ここでは、中国政府が公式に発表した一連の関連数字を見てみよう。

経済の専門用語の一つに「マネーサプライ」というものがある。「一国のなかでの、中央政府と金融機関を除く民間部門（一般法人・個人・民間団体など）が有する通貨の合計」というのが、その定義だ。簡単にいえば、一国の経済のなかで企業や個人、団体が保有するお金の総量ということである。

中国人民銀行が発表した統計によると、二〇一〇年九月末時点で、中国の広義マネーサプライ（M２）の残高は、六九兆六四〇〇億元。前年同月比一九％増である。

一方、二〇一〇年一～九月の名目国内総生産（GDP）は二六兆八六六〇億元（当時の為替レートで約三二五兆円）になった。GDPに対するマネーサプライの比（マーシャルのK）は約二六〇％に拡大したわけだ。

一般的に、先進国では「マーシャルのK」は五〇％から七〇％の間を推移している。バブル経済ピーク時の日本でも一二〇％だったといわれている。中国の数値は、異常なほどの「過剰流動性」を示しているのだ。

また**中国政府の統計によると、二〇〇九年末時点の中国のGDP規模は三三兆五四〇〇億元である。一九七八年が三六四五億二〇〇〇万元だったから、九二倍だ。それに対し、広義マネーサプライ（M２）は一九七八年が八五九億四五〇〇万元で、二〇〇九年が六〇兆六〇〇〇億元、つまり七〇五倍である。**

供給された貨幣量は、経済規模の増大より約八倍も多いということだ。

一九七八年からの数十年間、中国の中央銀行は印刷機をフル回転させて貨幣を大量に印刷し、洪水のように市場に供給してきた。そのことで経済発展を推進してきたのだ。そしてその結果として、インフレを招いたのである。

ではなぜ、そこまでマネーサプライを増大させなければならなかったのか。

ここでもう一度、全国人民代表大会財政経済委員会の呉暁霊副主任の発言を思い出してみよう。呉氏は、「過去三〇年間、われわれはマネーサプライを急増させることで、経済の急速な発展を推し進めてきた。その結果として、いまのインフレがある」と発言した。

つまり中国という国は過去数十年間、貨幣の供給の「急増」をもって経済の発展を推進してきた。貨幣の過剰供給の理由、それは経済発展の推進であり、見方を変えれば、中国の経済発展は貨幣の過剰供給なくしては実現できなかった、ということでもある。

中国国内の固定資産投資は、毎年二五％から三〇％という高い伸び率を示してきた。これほど驚異的な投資の伸び率が維持されてきたのは、資金を引き出すことが簡単にできたからだ。

中国の銀行は、ほとんどが国有銀行である。政府は毎年、銀行から莫大な資金を引き出して公共事業の投資拡大に回したり、銀行に命じて企業向けの貸し付けを増加させて企業の設備投資の拡大を助長したりした。

そうして、固定資産投資の伸び率を高く保ってきたのである。それにともなって、経済全体の高い成長率も維持されてきた。

しかし、三十数年間にもわたって無制限に銀行からお金を引き出すことが、健全な行為であるはずがない。このような投資拡大政策を続けた結果、中央銀行から発行されて市場に放出された貨幣の量、つまりマネーサプライは膨大に増えた。過剰流動性の発生である。

投資のやり過ぎが「カネ余り」を生んだのだ。

企業が稼いだ外貨の分だけ人民元増発

投資とともに中国の経済成長を支えてきた対外輸出の拡大も、過剰流動性、すなわちカネ余りの元凶だ。

長年にわたって対外輸出を拡大してきた結果、中国は二兆六五〇〇億ドルという、世界一の外貨準備高を持つ「超金持ち国家」となった。

しかし、この外貨準備高は政府が稼いだものではない。中国国内の企業が対外的にモノを輸出して稼いだ外貨なのだ。

第一章でも触れたように、**現在の中国の制度では、国内企業が稼いだ外貨がそのまま企業に入ってくるわけではない。外貨は中国政府（中国人民銀行）によって買い占められ、それが政府の持つ外貨準備高となる。一方で中国政府は、輸出企業が稼いだ外貨に相当する額の人民元を発行し、それを輸出の対価として企業に渡す——こういう仕組みになっている。**

そうなることで生まれたのが、以下のようなモノとカネの流れだ。

①企業が輸出することによって中国製の商品、すなわちモノが国際市場へ出て行く。
②企業が稼いだ外貨は政府の手元に止まって政府の外貨準備高となる。
③銀行から人民元が発行されて国内企業の手に渡り、国内市場で流通する。

経済的には、このような流れは実に重大な意味を持つ。モノは国外に出て行くのに、モノ作りの対価である人民元だけが国内で流通するわけだから、モノの裏付けのないカネ、すなわち空虚なカネが国内で大量に発生するのだ。

企業が輸出すればするほど、中国全体の対外輸出が拡大すればするほど、モノの裏付けのない空虚なカネが国内に溢れる。これもカネ余りの大きな原因になった。

「成長のための成長」の結末

ここで、過去数十年間における中国の経済発展、すなわち急速な経済成長がどのようなものだったのかをおさらいしてみよう。

先述したように、中国経済には対外輸出と不動産投資という二つの牽引力があった。中国国内では、これを「二台の馬車」と呼んでいる。

このことは、実際の数字にも如実《にょじつ》に表れている。

この三十数年間、中国の経済全体の平均的成長率は、およそ一〇％前後であった。それに対して、二〇〇一年末にＷＴＯ（世界貿易機関）に加盟した後の中国の対外輸出の伸び率は、毎年平均二五％以上……つまり、中国製品が国際市場でシェアを拡大し、大量に売りまくったことで、それに引っ張られて中国経済が急速に成長したという構図である。

もう一台の「馬車」である固定資産投資の場合はどうだろうか。それまで、**中国経済全体の成長率は平均一〇％だったのに対し、過去三十数年間、中国国内の固定資産投資は毎年、二五％から三〇％の伸び率を記録している。経済全体の成長の二〜三倍も、固定資産投資が伸びているのだ。**

莫大な資金を投入して道路や橋を作ったり工場を建設したり住宅を建てたりして、そのことで経済を引っ張ってきたということだ。

しかしこれは、不健全な成長に過ぎなかった。国民の消費（内需）が拡大せず、その代わりに外国での消費に頼った。また消費ではなく投資に支えられてきた。つまり国民不在、政府主導型の「成長のための成長」だったのだ。

なぜ、そうなったのか。中国きっての若手経済学者で、中国経済改革研究基金会国民経済研究所副所長の王小魯《おうしょうろ》氏が、その答えを語っている（二〇〇八年九月九日付『国際金融報』）。

「中国では、国民の消費は経済全体に占める割合が非常に低く、それが内需の慢性的不足を招いた原因である。内需が慢性的に不足しているなかで、政府は高い成長率を維持していくために、あらゆる方法を使って投資と輸出の拡大を図らなければならなかった。その結果、わが国の経済成長はますます、投資と輸出という二つのエンジンに依存する構造となってしまった。

投資の拡大には貨幣の継続的投入、すなわち拡張的財政・金融政策の実施が必要だ。しかし貨幣を投入し過ぎると、経済の過熱とインフレを招来することになる。現在進行中のインフレ傾向は、二つのエンジンをもって経済成長を引っぱっていくという、いままでの経済戦略がもたらした必然の結果である」

「中国経済の二重不均衡」とは何か

「中国経済学界の良心」と称される国務院発展研究センター研究員の呉敬璉《ごけいれん》氏も、同じような分析を二〇〇八年に行っている。

一二月六日、北京で開かれた、とある経済関連のフォーラムの席でのことだ。呉氏は持論ともいうべき「中国経済成長方式欠陥論」の大演説を行った。

呉氏はまず、アメリカ金融危機の発生が中国経済に多大なマイナスの影響を与えたことを認めながら、中国経済がどうしてそこまで外部環境の変化に影響されやすいのか、その理由を語っている。

その結論として強調されたのは、やはりというべきか、中国経済における内需と外需のアンバランスであった。長期にわたって内需の不足に悩まされながら対外輸出に頼ってきた結果、中国経済は完全に対外依存型、外需依存型になってしまったということだ。

氏の弾き出した数字によると、すでに二〇〇七年の段階で、中国経済の対外依存度はGDPの三六%を占めている。これは異常な高さというほかない。このような経済構造は外部環境の激変にとりわけ弱い。

同じ演説のなかで、呉氏は中国経済の抱えるもう一つの「アンバランス構造」にも言及している。それは「過度の投資拡大と消費不足との不均衡」だ。

慢性的な消費不足のなかで、中国政府は投資の拡大を図ることによって高度成長を維持してきた。しかしその結果、GDPに占める投資の割合は、一九八〇年代の三〇%から、四五%にまで上昇してしまっている。中国経済は完全に「投資中毒」、あるいは「投資依存症」の歪《いびつ》な構造と化していたのだ。

しかも、投資拡大のために多くの資金が金融システムから放出されたことで、やがて流動性の過剰が生じ、インフレにつながった。そう呉氏は指摘している。

この二つのアンバランス、すなわち「内需と外需のアンバランス」と「投資と消費のアンバランス」を、呉氏は「中国経済の二重不均衡」と呼んでいる。氏から見れば、この二重不均衡こそが、中国経済すべての困難と問題の病巣なのである。

いい換えるなら、中国経済を牽引してきた二台の馬車は、二重の欠陥だったということだ。

極端に低い個人消費の背景

中国を代表する二人の経済学者の解説からも、慢性的な消費不足、つまりは内需不足こそが中国経済の最大のアキレス腱であることがよく分かる。

内需不足だからこそ、中国経済は投資と輸出という二台の馬車（それは二重の欠陥でもあったのだが）を頼りにして高い成長率を維持していかなければならなかったのだ。

ではなぜ、中国では内需が拡大しなかったのか——。

一国のＧＤＰに占める個人消費の割合を示す「個人消費率」は、アメリカが七〇％、日本で六〇％ほどである。だが中国では、二〇一〇年で三三・八％……経済全体に占める消費の割合が極端に低い。しかもこの数字は、一九九一年の四八・八％よりも格段に下がっているのだ。

その間、中国は高度経済成長を果たしているから、経済が成長するほど、庶民の財布の紐《ひも》が堅くなっていったということになる。

その大きな原因は、社会保険システムの不備である。たとえば、二〇〇五年の段階で、国民の八五％以上がなんの医療保険（健康保険）にも加入していないことが判明している。二〇一一年には若干の改善が見られたが、国民の大半が医療保険に入っていないという状況は大きく変わってはいない。

日本人から見ると、とても信じられないような状況……しかしそれが、中国のまぎれもない実状なのである。

その一方で、医療費は高騰するばかりだ。

上海では、一人当たりの可処分所得が月一六〇〇元程度であるのに対して、一人が一回の診察で支払う平均医療費は五〇〇元前後。病気になって一度病院に行くだけで月収の三分の一が飛んでいってしまうのだから、多少の稼ぎがあっても消費には回せない。いざという時のために貯金しておくことになる。

中流層は総人口のわずか二%

さらに貧富の極端な格差も、消費低迷の大きな原因だ。

低収入層は、食べていくのに精いっぱい。消費するだけのお金がそもそもないのだ。それに対し、富裕層は持っているお金ほどには消費をしない。一億円を持っていたら五〇〇〇万円使うかもしれないが、一〇〇億円持っていたら、むしろ使いたくなくなるものだ。

そして中国では、消費の中心となるべき中流階級が欠落してしまっている。

一般的には、どの国でも、消費の主力となるのは低収入層でも富裕層でもない。その中間の中流層だ。

消費が最も安定しているのは、この中流層が最も厚くなっている国ということになる。

高度成長を経たかつての日本が「一億総中流」といわれたのが好例だろう。安定して消費をする中流層がたくさんいたから、日本の経済は安定していた。

そして、この中流層こそが、中国社会において最も欠如している部分なのだ。

世界有数の規模を持つ金融グループ・UBSの試算によると、現在の中国で中流層と認定できるのは二五〇〇万人程度、総人口のわずか二%程度なのだ。なぜそうなったのかといえば、理由は明白だ——。

すでに説明したように、中国は対外輸出を重視したため、安価な労働力に頼った。外国に安くモノを売るために、国内労働者の賃金を安いままにしておいたということである。それでも代わりはいくらでもいた。だが、そのツケが、一向に伸びない内需という形で回ってきたのである。

賃金の伸びは経済成長率の三分の一

中国には馬光遠《ばこうえん》氏という著名な経済学者がいる。国内のアカデミーである中国社会科学院に勤める経済学博士だ。

その馬氏による論文が、二〇一〇年五月三〇日付の新聞『新京報』に掲載された。

「労働力の安さこそ中国経済のアキレス腱」と題されたこの論文では、まず国際市場のなかで最大の魅力だった価格の安さの背景にあるのが、人為的に抑えられている労働力の安さだと指摘している。

労働力の安さこそは、中国製品の競争力の核心だ。これまで、中国経済はまさにそれを頼りにして国際市場への輸出拡大を図り、奇跡ともいうべきだが、同時に歪な高度成長を果たしてきた。

その一方で、労働力の安さによって民衆の収入は伸び悩み、そのことが中国経済の慢性的な内需不足をもたらしている、と馬氏は指摘している。

その証拠として馬氏が挙げているのは、次のような数字だ。

一九九七年から二〇〇七年までの一〇年間、中国のＧＤＰに占める「労働報酬」の比率は、五三・四％から三九・七四％に落ちているという。経済が急成長してＧＤＰが大きく膨らんでいるにもかかわらず、労働者に支払われた報酬の割合は減っているのだ。

健全な経済成長であれば、ＧＤＰが増えるにつれて労働報酬、つまり労働者たちの給料も増えていくはずだ。そうなっていれば、ＧＤＰに占める労働報酬の割合は変わらない。しかし実際には、そうはならなかった。

国全体は豊かになっているのに、一般の労働者は一向に豊かになっていないということを、この数字は示している。

彼はまた、広東省にある中国最大の輸出生産基地の一つ、東莞《とうかん》市の例を挙げて、一般労働者の収入状況の惨《みじ》めさを示した。

それによると、東莞市の労働者の最低賃金は、一九九四年には月給三五〇元だった。その後、二〇〇八年には七七〇元に。しかし、この一五年における平均増加率は、年に五％未満……同時期における東莞市の平均的経済成長率の三分の一以下である。経済の伸びに対して、収入の伸びは恐ろしく低いのだ。

全国的にも、一般労働者の収入はたいてい同レベルだと馬氏は断言している。こういう状況では、一般国民の消費が低迷し、内需が慢性的不振となるのも当然のことだ。

外需が拡大している段階では、こうした歪みも大きな問題にはならなかった。しかし、ひとたび国際的経済事情が変化し、外需が大きく減少すると、問題はすぐに顕在化してきたのである。

外需が大きく落ちたときには、内需の拡大こそが経済成長を支える決め手になる。外需でまかないきれない供給を、内需が吸収するからだ。しかし、中国では長年にわたって「低賃金戦略」をとってきた。そのため、一般国民の消費能力が低いままだった。これでは急速な内需拡大など実現できるはずがない。

それまで中国の「経済奇跡」を生み出してきた最大の要素である労働力の安さが、国内における内需拡大の最大のネックとなってしまったというわけだ。

安い労働力を頼りにした中国の成長戦略は、完全に裏目に出た。自らの首を絞めることになったのだ。

対外依存で低賃金に、そして内需不足に

中国経済は、労働力の安さを最大の武器として急速に発展してきた。対外輸出は「二台の馬車」の一台として経済の高度成長を牽引してきた。しかし同時に、国内の消費不足に拍車をかけることにもなり、経済成長の妨《さまた》げともなっている。

先述したように、中国の輸出の主力商品は衣類や玩具など付加価値の低いものだ。それを世界中に売りさばくためには「低価格戦略」でいくしかない。「高くても売れるもの」、つまり高付加価値の商品を生み出すことができなかったのである。そして商品の価格を安く抑えるために、人民元の為替レートも低いままにしてきた。

その結果として、中国の製造業を支える都市部労働者や出稼ぎ農民工の賃金が低く設定

されてきた。労働者たちの家族を含めた数億人の中国国民が、長いあいだ低賃金に甘んじてきたから、中国は輸出拡大、経済成長を実現できた。

しかし**労働者とは、消費者でもある。労働者の賃金が安いのだから、大きな消費はできない。対外依存に偏った経済成長戦略は慢性的な内需不足を招き、そのことで中国の経済成長はますます対外依存に走る。まさに悪循環としかいいようがない。**

馬氏は、論文の最後を「経済発展のために労働者の収入を低く設定し、そのことが経済成長の将来性を犠牲にしてしまう悪循環から、われわれはいつになったら脱却できるのか」と締《し》め括《くく》っている。

しかし、その馬氏も、「悪循環からの脱却」について道筋を提示することができていない……。

生産能力の過剰が分かっていても

ここまで読んでいただいて分かるように、中国は出口のない袋小路《ふくろこうじ》に入り込んでしまったようなものだ。

構造的な消費不振のなかにあって、高い経済成長率を維持していくためには、固定資産への投資をよりいっそう拡大しなければならない。

だが、中国は先述したように「生産能力過剰」の状態だ。供給と需要のバランスは、ますます悪くなる一方なのである。

また、投資拡大に頼った経済成長も限界にきていることは明らか。しかしそれでも、投資の拡大をすぐに止めるわけにはいかない。依然として消費が低迷しているなかで、投資の拡大もやめてしまえば、経済全体の伸び率が落ちていくからだ。

失業問題への対策としても、中国政府は経済成長率の低下を何よりも懸念している。なんとしても、一定の成長率を死守しなければならない。そのためには、投資の拡大に依存していくしかないのである。

つまり経済構造のアンバランスは、解決するどころか、ますます深刻化していく……。

いってみれば、現在の中国経済はカンフル剤に依存している病人のようなもの。実際、「生産能力過剰」の問題は二〇〇六年には顕在化していたのだが、二〇〇七年の中国経済の実績を見てみると、固定資産投資は前年比二四・八％の高い伸び率となっている。

「野菜の奴隷」とは何か

二〇一〇年、インフレによって、メーカーは相次ぐ値上げに踏み切った。食用油、酒、インスタントラーメン、シャンプー、洗剤などの販売価格が一〇％から二〇％上昇。北京市内のスーパーマーケットの店員は「価格表示が間に合わない」と嘆いていたという。三～五人家族の一ヵ月の支出は、少なくとも数百元増えたとされる。

生活を圧迫された一般消費者たちは、ありとあらゆる手を使って節約に励むことになった。『中国新聞網』は一二月二九日に「中国で二〇一〇年に注目された節約キーワード」を紹介している。その一〇個の単語の筆頭は、「菜奴《ツァイスウ》」という新造語だ。

「菜」は現代中国語で「野菜」の意味。「菜奴」とは、生活必須品である野菜の値段が高騰しているなかで、「野菜の奴隷」のように、より安い野菜を買うために狂奔《きょうほん》する人々のことである。

記事で紹介されているのは、一番安い野菜を手に入れるために、市内を自転車で一日数十キロも走り回ってすべての野菜売り場を「探検」する主婦。また、野菜を買う際、男の野菜行商人を選んで色目を使いながら値引き交渉するＯＬもいるという。それほど、インフレが市民の生活を苦しめているのである。

インフレに怯える中国政府

中国政府はインフレに危機感を募らせていった。二〇一一年三月一四日に閉幕した第一一期全国人民代表大会（全人代）第四回会議では、温家宝《おんかほう》首相が施政方針演説に当たる政府活動報告において、「インフレが社会の安定を脅《おびや》かしており、インフレ抑制が今年の最優先事項である」との見解を示している。

それに先立つ二月二一日の中央政治局会議では、二〇一一年の経済政策運営について討議した結果として「物価水準の基本的な安定を保たなければならない」という基本方針が確認されている。

党の政治局会議が一つの経済問題に絞って討議を行い「基本方針」を打ち出すのは、かなり異例のことだ。それだけ、政府の指導者たちは物価とインフレに敏感になっていたのである。

この年の一月二〇日、中国人民銀行は、市中銀行から強制的に預かる資金の比率を示す預金準備率を〇・五%引き上げると発表した。つまり、各金融機関が融資に使える資金の枠《わく》が減らされるということ。そのことで貨幣の過剰供給を食い止め、インフレを沈静化しようということである。

実は、預金準備率の引き上げは二〇一〇年以来、七回目である。さらに、それから一ヵ月も経っていない二月一八日にも、預金準備率が〇・五%引き上げられた。そして三月一八日にも引き上げが行われている。

それ以降、預金準備率の引き上げは「応急措置」ではなく通常の金融引き締め策として定着した感がある。四月、五月、六月と、月に一度は引き上げ……中国金融史上、前代未聞の事態であった。

しかも、二月八日には政府の命を受けた中国人民銀行が金融機関の貸し出しと預金の基準金利を〇・二五%引き上げ、四月五日にも再度の利上げ(〇・二五%)を行っている。まるで集中豪雨のような金融引き締め策だ。

それは、政府がインフレに怯《おび》えているかのような印象を与えるものであった。

金融引き締めを行うほど上がるインフレ率

だがそれでも、インフレはいっこうに収まらなかった。むしろ、政府が金融引き締めに力を入れれば入れるほど、インフレ率が上がっていく……二〇一一年一月には四・九％だった消費者物価上昇率（前年同月比）が、五月には五・五％に、六月になると六％を超えた。

そうしたなか、温家宝首相は六月二四日、訪問先のイギリスで、「今年の消費者物価上昇率を四％以内に抑える政府目標の達成が困難である」と認める発言をしている。

中国のインフレは、過去数十年間にわたる貨幣の過剰供給の結果だ。短期間の金融引き締め策で収まるものではない。

中国人民銀行貨幣政策委員会の李稲葵《りとうき》委員は、二〇一一年六月二九日、北京における経済関係の会議で、中国のインフレが「慢性的である公算が大きく、今後一〇年間は問題であり続ける」という見解を示した。

また金融引き締め策は、インフレ抑制の効果を発揮していないだけでなく、副作用も生み出している。各金融機関の融資枠が大幅に縮小されたことで、中小企業の多くが銀行から融資をもらえずに経営難に陥ったのだ。

二〇一一年六月には、さまざまな経済紙で「資金難、中小企業倒産ラッシュが始まる」「長江《ちょうこう》デルタ、中小企業生存の危機」「温州地域、中小が二割生産停止」といった記事が見られた。

また二〇一一年五月二〇日付の香港紙『明報』では、中国中小企業協会の周徳文《しゅうとくぶん》副会長が、中小企業の実情について「危機は目の前に迫っている」と語っている。

中華全国工商業聯合会の全哲洙《ぜんてつしゅ》第一副主席も、「今年（二〇一一年）八月前後に中小企業の倒産が相次ぐだろう」と予測。この記事では、その原因について人件費の高騰、人民元の上昇、原材料の高騰、人手不足、電力不足、資金不足などに加えて、銀行からの融資の「枯渇」だとしている。

囁かれ始めた「ハードランディング」

中国の経済は、その六割を中小企業が支えている。それが危機に陥ることは、中国経済そのものの減速を意味する。そんななかで囁かれ始めたのが、中国経済の「ハードランディング」である。

二〇一一年六月一四日、国際的に有名な投資家ジョージ・ソロス氏は、中国はインフレ抑制の機会を逸しており、経済がハードランディングとなる恐れがあるという見方を示した。エコノミストのヌリエル・ルービニ氏も六月一三日に、ハードランディングの「有意な確率」があると語っている。

中国国内ではハードランディングについて公然と語る経済学者はいなかったが、中国経済の減速について言及する者は少なくなかった。

おそらく、このまま行けば、中国経済のハードランディングは確実といえる。では金融引き締めをやめればいいのかといえば、そうではない。金融引き締めをやめれば、さらなるインフレに襲われることが間違いないからだ。経済減速の最中でも、中国政府の関係筋からは「金融引き締め継続」の大合唱が巻き起こっていた。

中国政府としては、経済が減速しても、ハードランディングしても、金融引き締め政策は放棄できない。数億人単位の貧困層が存在し、格差への不満が高まるなかで、さらなるインフレに見舞われれば社会的大混乱も招きかねないだろう。中国政府が最も恐れているのは、まさにそれなのだ。
中国政府のジレンマは、深まるばかりというしかない。

中国の家庭の五五％は貯金ゼロ

では、これから中国経済はどうやって成長していくのか。政府のいう内需拡大は、決して簡単なものではない。

低賃金労働に頼ってきたため、中国の家庭の五五％には貯金がない。そんな状況で内需拡大をしようというのは、まさに絵に描いた餅《もち》だ。

中国人民の貯金、要するに民間の資産がどこにあるかというと、一〇％の富裕層が民間貯蓄の七五％を持っている。あまりにも富が集中し過ぎているのだ。そういう人々は中国の内需拡大の力にはならない。彼らが国内で消費するものは、ほとんど何もないからだ。みんな、海外へ行って消費するのである。

銀座の高級店でも、値札を見ずに買い物をするのはだいたい中国人で、いわゆる「爆《ばく》買《がい》」だ。毎日のように見られるあの光景が、中国での内需拡大が見込めないことを証明している。

そう、これまでのような中国経済の高度成長は、すでに終わっている。加えて成長の新しい要素がなかなか見当たらない以上、中国経済はこれからさらに減速していくことになるだろう。

では、どこまで減速していくのだろうか。七％もしくは六％成長の時代に入るだろうというのが中国国内での大方の予測だ。高度成長は終わり、これからは中国国内の言葉でいえば「低中度成長期」になる。

もちろん、日本からすれば六％の成長でもましではないかという話になるのだが、それはあくまでも日本の感覚だ。中国にとってはあまりにも低い数字なのである（もちろん先述の通り、この「六％」という数字も捏造《ねつぞう》されるものかもしれないのだが）。

八％成長を死守せねばならない理由

中国には「保八」という言葉がある。「保」は保つ、守るという意味であり、「八」は八％の成長率を指す。八％以上の成長率を保つことが、中国政府における経済運営の至上命題、最高方針だったのである。どんなことがあっても、中国政府としては八％以上の成長率を維持しなければならない。

この八％以上という数字は、中国政府が社会安定の維持という視点から割り出したもの。国全体の成長率が八％以上でなければ失業が拡大し、そのことで社会がますます不安定になって政権が維持できなくなってしまうということだ。つまり経済的数字というよりも、政治的数字なのである。

たとえば二〇一一年、中国の成長率は九％以上だった。そんな中国でどういうことが起きたか。中国の大学研究機関がまとめた調査結果によると、大きな暴動、小さい騒擾《そうじょう》事件、あるいは抗議行動、集団抗議などが、トータルで年間一八万件も起きたのである。経済が九％以上の成長を成し遂げ、一応は繁栄している最中でも、年間に一八万件もの騒動が起きた。日本でも反日デモが大きく報道されたが、実は中国国内では、あのようなことは日常《にちじょう》茶飯事《さはんじ》なのだ。

何かが起きるとすぐ一万人や二万人の人々が集まって暴動が起こる。しかも、昔の中国人は警察を恐れ、パトカーが来たらみんな逃げていたのだが、最近はもう逃げない。警察が来たら「ちょうどよかった、やっつけろ」となる。

九％以上の成長でもそういう状況なのだから、これからもし七％や六％台の成長になってしまうと、失業が拡大して貧困層の生活はますます苦しくなる。そうなると暴動がさらに起きる。

――これが、習近平《しゅうきんぺい》政権が直面している大きな政治課題だ。

中東革命の再現を恐れ数字の捏造を

「菜奴」が続出した二〇一〇年の一二月、中国政府が発表した一一月の消費者物価の上昇率は、前年同月比で五・一％だった。二〇〇九年一一月には〇・六％だったから、わずか一年間で物価が大幅に上昇したことになる。

当時から、政府当局は行政命令をもって物価の上昇を抑え付けようと、一連の「強硬措置」に出た。その結果、二〇一〇年一二月の消費者物価指数は四・六％に下がっている。政府にとっては喜ばしい展開だが、翌年一月には物価が再上昇……四・九％となっている。

しかも、である。この四・九％という数字も、政府による情報操作の結果であった。実際にはもっと高かったのだ。

当局が一月の消費者物価指数を算出する際に、価格の上昇が最も激しかった、食品の占める比率を意図的に引き下げたのである。その結果として、上昇率が四・九％に抑えられていたに過ぎない。

姑息《こそく》な情報操作は、インフレ問題の深刻さと、それに対する政府の危機感の高まりを露呈するものだったといえるだろう。数億人単位の貧困層が存在し、国民の不満が高まるなかで、物価の暴騰は社会的大混乱の発生につながりかねない。

政府が抱く危機感、あるいは恐怖感を増大させたのは、折からの中東革命である。

中国と中東諸国は、共通した問題を抱えている。すなわち貧富の格差の拡大や腐敗の蔓《まん》延《えん》などの社会問題、そしてインフレ率の大幅な上昇だ。

これらは、中東諸国で革命運動を引き起こす大きな原因となった。であれば、中国で同じことが起きても不思議ではないのだ。

過去の不健全な成長がもたらすインフレ

こうした背景のもと、中国政府は一連の金融引き締め策に踏み切った。にもかかわらず、消費者物価指数は再び五％の「高台」へ。国内の一部の学者からは、今後もインフレ率がさらに上昇していき、一〇％台という高水準になるかもしれないという予測が出てきた。

インフレ率が一〇％台になるのは、決して不思議なことではない。中国を襲ったインフレの大波は、そもそも過去三十数年間にわたる不健全な高度成長の負の遺産なのだ。歪な、無理に無理を重ねた高度成長の維持。そのツケがインフレという形で回ってきたのである。三十数年間のツケが、一朝一夕《いっちょういっせき》で、つまり短期間の金融引き締め策で解決できるものでないのは明白だ。

中国の政府と国民は、いままさに熱いお湯のなかで茹《ゆ》でられているような堪《た》え難い苦痛のなかにいるといっていい。

消費者物価指数は五％台となり、しかも食品の物価上昇率は一一％に……国民生活への圧迫はますます強まるばかりだ。国際市場での穀物価格や石油価格は今後も確実に上昇していくという国際的背景もあるだけに、中国でのさらなる物価上昇は不可避なのである。

このままいけば、物価が上昇するなかギリギリの線で暮らしている数億人単位の貧困層に「限界」が訪れるだろう。そうなったとき、中東諸国で起きたような大規模な民衆の反乱も、現実のものになるのではないか。

民衆の反乱、そして共産党政権が揺らぐことは、政府にとって最大の悪夢だ。指導部は何とかして、このような事態が起きるのを防ぎたいところ。そのためには、インフレ率の上昇をある程度で食い止め、物価を安定させることが急務なのだ。

中国のアキレス腱

どうして、先述したような多くの暴動が起き、中国社会の安定維持が難しくなっているのか。一番大きな理由は、貧富の格差の拡大だ。ある意味では、それこそが中国のアキレス腱だといっていい。

日本も格差社会といわれるが、中国の格差と比べたら可愛いものだ。皮肉な言い方をすれば、中国より日本のほうがはるかに社会主義的なのである。

なにしろ中国では、わずか一〇％の人々が七五％のお金を持っているというような状況だ。それだけ格差が拡大し、貧困層の裾野《すその》も広がっている。貧困層がどれくらいいるかといえば、政府の発表では、都市部だけでも一億五〇〇〇万人。

ただし、中国国内の常識では、政府の発表したこのような数字は大体「×二」が正しいとされている。すると三億人になる……。

そういう状況のもと、経済成長から取り残されている労働者や庶民たちが、現状に対して不満を抱くのも不思議な話ではない。

日本でも話題になった反日デモのなかで、一部の人々は毛沢東《もうたくとう》の肖像画を掲げていた。毛沢東の肖像画を持ち出すことは、反日とは何の関係もない。これは中国社会の現状に対する批判なのだ。

そう、「いまよりも毛沢東時代のほうが良かった」というメッセージなのである。

毛沢東時代の中国は貧しかった。当時の中国の経済規模は、せいぜい現在の一〇〇分の一。しかし、誰もが貧しかったから、平等ではあった。私もあの時代を体験した人間だが、実際に毛沢東時代の人々は、あまり社会に不満を持っていなかった。

自分も貧乏だが、隣の人も、その隣の隣の人もみんな貧乏……だから誰もが不満なく暮らせたというわけだ。

ところが現在はまったく変わってしまった。自分は相変わらず貧乏だが、同じ街に住んでいる人間がマンション三軒とベンツを一台を持っている。そうなれば「この社会はけしからん」と思うようになる。

二〇一二年に失脚した薄熙来《はくきらい》という高官は、重慶《じゅうけい》市で労働者たちを動員し、毛沢東時代の革命曲を歌わせるという運動をやった。その歌が見事に民衆の心理を理解しているからだ。

民衆の「毛沢東時代は良かった」という心理を使って、彼なりの毛沢東回帰、鄧小平《とうしょうへい》の改革に対する否定をアピールした。その結果、薄熙来は失脚することになった。

最終的に誰も責任を取れないシステム

こうした問題は、たとえ習近平でもどうすることもできないものだった。インフレが習近平の命令一つで収まるかといえば、決してそんなことはない。「値上げするな」といえば済むことではないのだ。

経済は、前進するときにはなんでもできる。相当な無茶も可能だろう。しかし災難がやってきたら、どうにもならない。

中国の政治家はレベルが高いという人もいる。確かに、政治家としての能力は高いかもしれない。ただ、それは人を支配する能力、人々を骨抜きにして支配する能力だ。

経済政策は、それとはまったくの別物。それが分かっている専門家もいたが、それが聞き入れられることはなかった……。

中国が抱えるそもそもの問題は、共産党一党体制ゆえの「すべて上が決めること」という感覚だ。すべては共産党に従うだけ。「俺には権限がないし、責任もない」と考えてしまうのである。

うまくいくときには、上の命令一つでうまくいく。しかし悪い方向にいくと、誰も歯止めをかけられないのだ。

二〇一五年七月の上海株暴落の際、インタビューに答えた投資家の老婦人が「誰のせいなの!?」と叫んでいた。まさにこうした構造を物語っている言葉だ。そう、上が「株は儲かる」とけしかけたのだから。

一方、世界同時不況をチャンスにして、国内の構造改革をしなければという意見もあった。古い産業を潰して、競争力のある産業を育てようと。しかしそれは、共産党体制である限り無理なのだ。

なぜなら、「上」が考えるのは、自分たちの権力を守ることだからである。在任中に経済成長率を維持できればいい。ツケは後任が払う。つまり、最終的に誰も責任が取れないシステムなのだ。

中国の輸出産業の限界

二〇一〇年までは低賃金を背景に輸出を拡大してきた中国だが、それも維持できなくなっていった。

インフレによって生活費が急速に上がったから、賃金も上げなくてはいけない。そうして人件費が上がった結果、輸出はさらに落ち込むことになる。安い製品を大量に売るという、これまでのやり方が困難になってしまったわけだ。

はっきりいえば、最初から最後まで中国の輸出産業は進歩しなかった。一九八〇年代は安いものを作って売り、それが二一世紀にも続いた。

翻《ひるがえ》って日本の場合はどうだっただろう。日本の製品にも「安かろう悪かろう」という時代があった。しかし、しだいに付加価値が高いものを作るようになっていったのである。たとえばトヨタや松下（現パナソニック）、ソニーなどが、その代表例だ。

しかし、中国にはそうした企業は生まれなかった。高付加価値の製品を開発せず、ただひたすら「安いから売れる」を何十年も続けてきた。そして二〇一〇年以降、それが限界に達したのである。

高付加価値の製品を売れば、人件費が上がっても利益は出る。言い方を変えれば、人件費の増大以上に付加価値の高いものを売ればいいということ……。

しかし、中国はいつまで経っても衣類など付加価値の低いものしか売らなかった。技術開発にはコストがかかる。時間もかかる。なおかつ、成功するかどうか分からない。中国企業が目指してきた一攫千金《いっかくせんきん》には向いていないのだ。

「そんなことをするより、安い偽物を作ったほうが早い」

それが中国企業の考え方。これではトヨタや松下、ソニーが生まれるわけがない。

付加価値の低いものは、人件費が上がり、価格が上がれば誰も買わなくなる。代わりがいくらでもあるからだ。

かつて、日本車に代替品はなかった。トヨタ、ホンダ、ニッサンの車ほど高性能なものは他になかったのだ。しかし中国製の衣類などは、いくらでも替えがきく。

結局、現在は衣類などは東南アジアで生産されている。試しに、みなさんの家にあるシャツなどのタグで生産地を見てもらいたい。数年前は「メイド・イン・チャイナ」が多かったはずだが、現在はインドネシア製などが多くなっているはずだ。

高付加価値の製品としては中国製のスマートフォンが話題になっているが、それはあくまで国内でのこと。国際競争力はまだまだといわざるを得ない。アメリカでトヨタ車が乗られているほど、海外で使われているわけではないということだ。

中国経済は砂上の楼閣

こうして、輸出が決定的に「ダメ」になった。二〇一四年一月から一〇月までの輸出の伸び率は、三・八%。過去には毎年二五%だったのに、ここまで落ち込んでしまったのだ。

この時期には、人件費は以前に比べると上がっていた。それにもかかわらず、消費は増えていない。横ばいの状態だ。賃金が上がっても、消費が上がらなかったのである。

農村から来た出稼ぎ労働者たちは、多少、賃金が上がったところで消費には回さない。

将来の保証が何もないからだ。

そこにも中国の特別な事情がある。日本のように健康保険が普及していないから、医療費も高い。将来が不安だらけだから、お金を貯めておくしかない。そのため、消費が増えないのである。

不動産価格の暴騰も内需の拡大を抑制した。普通のサラリーマンは、家を買ったら生涯収入の半分をそこに費やすことになる。それでは余計な買い物をするわけがない。第一章で触れた家の奴隷、不動産の奴隷だ。一生、節約するしかない。

つまり**不動産バブルが将来数十年分の内需拡大を潰してしまった。不動産バブルとは、前倒しの豊かさだったのである。**

それに加えて貧富の格差もある。

中国の富裕層はお金を貯めて海外で使う。国内では買うものがあまりないからだ。日本に旅行に来ているのは中流以上の人たち。誰もが日本に来られるようになったというわけではない。

内需が少ない以上、中国は経済大国とはいえないだろう。少なくとも、他の先進国と同じような意味での経済大国ではない。その経済は、いつ消し飛んでもおかしくないのだ。

そう、中国経済は、いってみれば砂上の楼閣なのである。

銀行も「高利貸し」になった背景

こうしたなか、中国経済で頼りになるのは（以前に比べて厳しくはなったが）不動産投資だけということになる。しかし金融引き締め政策のもと、不動産投資のためのお金はどこから来るのか。

――シャドーバンキング、つまり闇金融である。

多くの中小企業には、お金が回ってこなくなった。しかし、生き残るためにはどこかから融資を受けなくてはいけない。また、地方政府も公共事業投資を行いたいのだが、その財源がない。どちらも、正規以外の金融に頼ることになった。

正規以外の金融、シャドーバンキングが隆盛となると、金融投機のブームにつながった。不動産バブルでは、まがりなりにも建物だけは作っていた。しかし、金融投機は何も生み出さない。お金を貸すことでお金を儲ける、お金がお金を生むというゲームが始まったわけだ。

そこに、正規の金融業者も参入してくることになった。正規の金利では銀行も儲からないから、信託会社を作って、「高利貸し」をやることにしたのだ。

すると、そこにお金が集まるから、普通の産業はますます落ち込んだ。

普通の企業は、高金利で借りることは不可能だ。製造業であれば、利益は三％ほど。そのために一〇％の金利を払うことなどできない。それでも生き残るためには借りるしかない。

ただ、もう一つの手段もある。第一章で触れたように、不動産投資のために借りるのだ。

不動産開発業者なら、お金を借りることができる。不動産が高く売れるからだ。金利が高くても、それ以上の儲《もう》けがある。

しかも、不動産ローンの貸し付けが多ければ、それは銀行の業績になる。日本のバブル期と同じ。返ってくるかどうかは国家が考えるべきことで、自分たちの問題ではないという感覚だ。

ただ、それは不動産価格が永遠に上がり続けるという前提があってのことだ。もちろん、そんな前提は成り立たない。中国の状況は、バブル期の日本と同じだといっていいだろう。

あの頃、日本だけは特別だといわれていた。不動産価格は上がり続けると。しかしもちろん、そんなことはなかった。バブルは弾《はじ》けたのである。中国も同じだ。

実体経済が沈没する一方で、不動産と金融という二つのバブルが膨らんでいった。それが二〇〇九年からの中国経済だ。いずれ弾けるに違いないバブルを、膨らませ続けたのである。

プーチンまで引っ張り出した「株防衛戦」

本書の序章で説明したように、二〇一四年からの上海株の上昇もバブルでしかなく、必然的に二〇一五年夏に暴落という事態をもたらした。その後、上海株はやや上昇したが、それは中国政府による必死の「株防衛戦」によってもたらされたものだ。

七月四日は休日だったが、大手証券二一社が緊急声明を発表。それは一二〇〇億元（約二・四兆円）以上を投じて株価を下支えするというものだった。迅速《じんそく》に、そして歩調を合わせての声明は、当然ながら政府の指示によるものだったはずだ。

その翌日には、中国証券監督管理委員会が新規株式公開を抑制する方針を発表している。また中国人民銀行は、証券市場への大量の資金供給をアナウンスした。さらに全国の国有大企業に、株を買い支えすべしという指示が政府から出された。

それでも、上海株は七月八日に再び五・九%の急落。これに対し、公安部が孟慶豊《もうけいほう》次官を証券監督当局に派遣し、悪意のある株式・株価指数先物の空売りを厳しく取り締まると発表した。

通常の株式市場であれば、空売りは合法的な行為だ。しかしこのとき、中国政府は、公安、つまり警察力を使ってでも株価の下落を食い止めようとしたことになる……まさに前代未聞の暴挙というしかない。

七月八日には、もう一つ奇妙な動きがあった。ロシアのプーチン大統領が、報道官を通して「中国株に絶対の信頼を置いている」というコメントを発表したのだ。

わざわざ他国の株価について大統領が言及するのは奇妙なことだが、じつはその日、プーチンは習近平国家主席と会談したばかりだった。要するに、中国はロシアの大統領まで「株防衛戦」に引っ張り出したのだ。

政治、経済、公安、外交……あらゆる手段を駆使して上海株の暴落を食い止めようとした中国政府。しかしバブルである以上、いつか必ず決定的な破綻《はたん》をきたす。それが明白になったのが、八月末からの再度の暴落だった。

そして、株価の下落は今後も続くだろう――。

株価防衛に九九回成功したとしても

この上海株暴落騒動からは、別の問題も見えてくる。中国政府が株価暴落をここまで必死になって食い止めようとしたということが何を意味するのか、である。

中国政府が恐れたのは、株価の暴落がもたらす社会的動乱だ。これまでにも述べてきたように、中国経済はすでに沈没しかけている。そのことで国民の不平不満がたまっているなか、さらに上海株の暴落が食い止められなければ、不満の爆発は避けられない。大規模な動乱は、共産党政権にとって命取りにもなるだろう。

逆にいえば、現在の中国政府の命運は、株価という気まぐれで予想しにくい要素に大きく左右されるようなものだ。脆《もろ》いといえば、あまりにも脆い。

習近平政権は、これからも株式市場との戦いを続けていかざるを得ない。しかし、株価が簡単には操作できないものである以上、この戦いに勝ち目があるとは思えない。しかも、たとえ株価防衛に九九回成功したとしても、一回でも失敗すれば、それはすべての終わりにつながってしまう。

そうした、極端で危険な経済政策を、中国は行ってきたのである。それができたのは、中国が共産党一党支配であるからだ。中国経済が成功したのも一党支配だったからこそだが、それゆえに危機を招いたともいえる。非常に歪んだ、常識ではありえない経済というしかない。

今後の中国は、経済成長のために積極的に何かをやるというより、降りかかってきた災難からどう逃《のが》れるかが大きな課題になっていく。しかもそれができなければ、待っているのは成長ではない。おそらく、葬式だろう。

第三章　不動産バブルの完全崩壊

杭州で始まったバブル崩壊の様相

現在の中国では、凄まじい勢いで不動産バブルの崩壊が起きている。

異変のスタートは、二〇一四年二月半ばに起こった。華東地域の大都市・杭州《こうしゅう》で、マンションの値段が大きく下落したのだ。

市内では「北海公園」という名の新築マンションの分譲が始まったのだが、その値段が予定よりも下がった。当初の予定価格は一平米につき一万九五〇〇元。ところがそれが、一平米につき一万五八〇〇元に変わった。二月一八日のことだ。

二割近い値下げだ。これは不動産好況に沸いてきた中国においては信じられない、まさに前代未聞の出来事といってよかった。

衝撃は翌一九日も続いた。分譲中だった「天鴻香榭里《てんこうこうしゃり》」という不動産物件が、大幅に「値段を調整」したのだ。一平米あたり一万七二〇〇元から、一万三八〇〇元へという、「北海公園」と同様の値下げだった。

当然、値下げ前に物件を購入していた人々は猛反発。物件の販売センターに押し寄せ、打ち壊しにまで発展する騒動となった。

この、杭州での二つの「事件」は、中国全土で大きく報道されることとなった。それだけ、不動産市場に大きな衝撃を与える出来事だったのだ。

経済専門の全国紙である『証券時報』は、二〇日付の紙面で一面を使い、「杭州の街で不動産価格暴落の引き金が引かれた」と報じている。まるで悲鳴のような記事だった。

二一日には、同じく経済専門の全国紙『経済参考報』が関連記事を掲載。「杭州で始まった不動産価格の暴落は、そのまま全国に広がるのだろうか」と書いている。

二つの物件の値下げは、単に杭州での出来事などではなく、全国に不動産バブル崩壊が広まるきっかけになってしまうのではないか……以前から危惧されていたことが、いよいよ現実のものになってきたという恐ろしさが、どの記事からも伝わってくる。

杭州は都会ではあるものの、一地方都市である。そんな場所で起きた、わずかに二件の不動産価格下落という出来事……しかしそれは、さらなるショックを招くのではないかという予測と深く結びついていた。

なぜなら、この時点で中国全体に不動産バブル崩壊が迫っているという危機感が定着していたからだ。

「やはり起こってしまった」というのが、杭州での出来事に対する識者の共通した反応だったはずだ。

いつか不動産バブルが弾けてしまうのではないか。では、それはいつ、どこで始まるのか。そんな思いを抱き、経済の動向を固唾《かたず》を呑んで見守ってきた人間にとって、杭州からのニュースは、危惧が現実のものとなったことを意味したのである。

中国の九割の都市で成約件数が低下

二〇一三年の年末あたりから、中国では不動産バブルの崩壊を危ぶむ声が聞かれていた。

この年の一二月二一日には、北京中坤《ちゅうこん》投資集団の会長にして全国工商連合会不動産商会副会長でもある黄怒波《こうどは》氏が、注目すべき発言をしている。北京市内でのフォーラムの席でのことだ。氏はスペインでの不動産バブル崩壊を引き合いに出して、こう語っている。

「スペインの現在は中国の明日。中国で次に倒れるのは不動産業だ」

また、全国工商連合会不動産商会の常任理事である、経済評論家の朱大鳴《しゅたいめい》氏の論文は、多くのメディアに掲載された。そのなかで、朱氏はこう書いている。

「不動産バブルは、いったん破裂したら取り返しのつかないことになる」

さらに、今後数年間にわたって「このような事態の到来に備えるべきだ」とも……中国の不動産業界、その中枢に身を置く者が、揃ってバブル崩壊の警告を発していたのである。それだけ、事態が深刻だったということだ。

その警告が具体的な出来事として現れたのが、杭州での二つの値下げであった。しかし実際には、その少し前からバブル崩壊は表面化していた。

杭州でのニュースが報じられる少し前の二〇一四年二月初旬、複数の経済専門紙が報じたところによると、同年一月、中国の約九割の都市において、不動産の成約件数が前月比で大幅に減少していたという。

ひどいところでは半分ほどの数字になっていた。たとえば大連では五三％減、深圳《しんせん》では四四％もの減少が見られた。つまり、中国では全国的に不動産が売れなくなっていたということだ。当然ながら、売れなければ値段が下がる。

先述した『中国証券報』は、温州、海口《かいこう》といった「地方中堅都市」でも、すでに不動産価格暴落のケースが見られると報じている。著名な民間経済評論家である呂諫《ろかん》氏も、中国の一部で不動産価格の暴落が始まったとブログに記した。

二月一九日には、中国における最大のニュースサイトの一つ『捜狐』が、「財経綜合報道」というコーナーで、バブル崩壊に関する記事を掲載している。題して「中国不動産バブル崩壊の五つの兆候」――不動産市場の冷え込み、大手開発業者の売り逃げなどが、ここで示されている兆候だ。

こうした流れを多くの者が危惧しているなかで、杭州における「値下げ事件」が起こった。いわば、これは起こるべくして起こったものだった。

バブル崩壊の序章となった二〇一三年

実は、二〇一三年にも、「崩壊劇の序章」ともいうべき事件が起こっている。六月二四日、一つのニュースが世界中に広まり、関係者に大きな衝撃を与えることになった。上海株急落である。

その日は月曜日。上海株式市場全体の値動きを示す上海総合株価指数は、前週末の終値と比較すると五・三〇%安い一九六三・二三で引けた。「心理的な節目」は二〇〇〇とされているから、それを割ったことになる。前年一二月四日以来のことだった。

中国では株価の浮き沈みが激しい。そのため、本来であれば上海株が五ポイント下落したとしても、さほど驚くようなことではないといえる。しかし、このときの株価の急落には意味があった。それは、中国経済が抱えている深刻な歪みが露呈したことだった。

この株価急落の、直接の原因を解説してみよう。

前月の末に、「理財商品」と呼ばれる高利回りの財テク商品の償還が迫っていた。しかし各銀行は、金融引き締めによって慢性的な資金不足。そこで、償還に困った各銀行は、他行からの資金調達を急ぐことになった。急場しのぎでそれぞれがお金を借りたわけである。しかし、その結果として、銀行間融資の短期金利が急騰することになった。

こうしたなか、中央銀行である中国人民銀行は、債権の償還で資金繰りが苦しくなった各銀行の様子を傍観しているだけ……数年前までのように、資金供給などの救済措置を取らなかったのである。

この動きを見た証券市場は、銀行の破綻につながる金融危機が発生するのではないかという懸念を抱くことになった。その結果として銀行株を中心に株が売り一色となり、上海の株価指数は急激に下落したのである。

このことから分かるのは、深刻な資金不足を抱えた中国の金融システムの脆《もろ》さだ。

経済成長の三倍の勢いで進んだ「ハコモノ作り」

中国の人口は一四億人。銀行は人々から膨大な額のお金を預かっているはずである。にもかかわらず、債権償還が迫ったときに、なぜ各銀行が一斉に「金欠」に陥ってしまったのか——。

答えは実に簡単。中国の各銀行は、これまで預金者から預かったお金を放出し過ぎていたのだ。つまり、無責任な放漫融資であり、悪質な流用である。

中国の経済成長は、中央政府および各地方政府が主導する継続的な投資拡大によって支えられてきたという面がある。

二〇一一年までの三〇年間で、中国経済全体の成長率は毎年平均一〇%ほど。しかし同時期の中国国内での固定資産投資は、毎年三〇%前後も伸びている。

つまり、経済全体の成長の三倍もの勢いで、固定資産投資、すなわち「ハコモノ作り」が行われてきたということだ。

いわばこの三〇年間の中国では「世紀の大普請《だいふしん》」が行われてきたといえるだろう。公共事業投資、不動産投資が凄まじい勢いで行われ、道路、鉄道、マンションなどが急速に作られてきた。その結果としての経済成長だったのである。

ただし、このような成長戦略は投資に多くを頼る「投資依存型」のものだった。それは結果として、さまざまな副作用をもたらすことになる。その一つが「鬼城現象《グイチャン》」だ。

「鬼城現象」とは、不動産投資がいき過ぎた結果、街一つを作ったはいいが、誰も住む人がいないという現象のこと。江蘇《こうそ》省の常州市、貴州省の貴陽市など、全国の中小都市で数多く見られる。

二〇一五年八月一二日に大爆発が起こった天津港に隣接する開発区も東京二三区よりも広い面積を持つが、実はここも「鬼城」であることが分かった……。

一つの省に九つもの空港が

公共事業でも、深刻な投資過剰が生み出された。たとえば、江蘇省では、これまでに九つもの空港が作られている……。

いくら広大な中国とはいえ、一つの省に九つも空港があるというのは行き過ぎだ。完全に濫造《らんぞう》である。しかも、そのうち七つの空港は商売にならない状態で、赤字経営が長年、続いているというありさま……。

これは江蘇省だけの問題ではない。中国全土には一八五の空港が存在するが、現在ではそのうち約七割が赤字経営に陥っていると判明した。

加えて企業の設備投資も過剰に行われてきた。こちらは公共投資と不動産投資につられるような現象である。

鉄鋼産業は国家の基幹産業といえるが、設備投資拡大によって年間一〇億トンという生産能力を持つものの、実際には、そのうちの三億トンは過剰能力、つまり使い道のない生産能力だという。

また二〇一五年現在、中国の自動車産業の供給能力は年五〇〇〇万台にも上るが、これは実需の倍近い数字になる。

さすが中国、無駄遣いもスケールが大きい……と皮肉をいってみたくもなるではないか。

このような設備投資にせよ不動産投資にせよ、その資金は銀行からの融資に頼ったものである。公共投資は地方政府が行うものだが、先述したように、その資金源の大半はシャドーバンクから捻出されている。では、シャドーバンクの資金はどこから出てくるのかといえば、やはり正規の商業銀行からの流出なのである。

もちろん、融資は銀行の業務である。銀行が融資をしなければ、不動産投資も設備投資もすることはできず、経済成長も果たせない。とはいえ、健全な経済成長は健全な融資から来る投資でしか生まれない。

しかし中国では、過剰な融資が過剰な投資拡大を呼び、結果として膨大な不動産在庫や企業の生産設備過剰、赤字だらけの空港などを生んでしまった。

つまり、無責任な投資拡大の背景には、銀行の無責任な放漫融資があったということになる。そして当然のことながら、放漫融資は回収不能な不良債権と化した。貸したお金が戻ってこないのだから、銀行は深刻な資金不足に陥ってしまう。

以前にも、こうしたことはあった。その場合、温家宝政権時代には中央銀行が救いの手を差し伸べている。銀行が「金欠」になると、中央銀行が無制限に資金供給を行ってきたのだ。そのために貨幣が大量にあふれ、過剰流動性が深刻なものになったのは先述した通りである。

世界史上最大の金融バブルの規模

中国国内では一時、M2（中央銀行から発行され、国内で流通している通貨の総量）が一〇三兆元にものぼった。ドルに換算すれば、アメリカ国内で流通している貨幣総量の一・五倍である。中国の経済規模はアメリカの半分程度だから、その過剰流動性は深刻な事態といわざるを得なかった。

まさに「札の氾濫《はんらん》」である。

二〇〇二年初頭には、中国国内で流通する人民元の量は一六兆元程度だった。それが二〇一三年には一〇三兆元にまで膨らんだのである。一一年間で増えた流動性は、実に六・四倍……これは世界経済史上最大の金融バブルだ。

すると中国は、二〇〇九年末から深刻なインフレに襲われることになった。

これまでにも説明してきたように、食品などの物価の高騰は、貧困層をさらなる生活苦に追いやることになり、それは社会不安の拡大、さらには共産党政権の屋台骨を揺るがす事態にもつながりかねない。そのため、中国政府は「札の氾濫」で生まれたバブルから一転、金融引き締めに走ることになった。

こうした流れのなか、不動産市場の生死を決める重大な措置が採られた――。

二〇一三年九月のことだ。北京、上海、広州などにおいて、複数の商業銀行が住宅ローン業務の停止を一斉に発表したのである。この動きは、その後も成都、重慶、南京《ナンキン》といった地方都市の銀行でも、住宅ローン業務の停止、あるいは貸し出し制限という形で続いた。

金融不安が拡大しているなか、リスクの高い不動産関係の融資から手を引こうということだ。それは銀行の保身のためだったのだが、そのことが何をもたらしたかを説明していこう。

不動産の売れ残りが六〇〇〇万件

銀行で住宅購入のローンが組めなくなったわけだから、中国の人々は家を買うことができなくなる。大半の人は、銀行のローンで家を買うからだ。結果、全国で不動産が売れなくなり、在庫が大幅に増える。

この二〇一三年九月の時点で、不動産の売れ残り在庫は全国で六〇〇〇万件あるという試算もあった。それがさらに売れなくなり、在庫が増えていけば、不動産開発業者たちの資金繰りもどんどん苦しくなっていく。

開発業者の資金繰り、その苦しさが頂点に達すると、どうなるか。彼らは生き残るために、手持ちの不動産在庫を、大幅に値下げしてでも売りさばくしかない。そして、ひとたび値下げが実行されれば、他の業者もこれに追随することになる。つまり値下げ競争だ。

これが続けば、やがて歯止めがきかなくなり、不動産価格は暴落することになる……。

二〇一四年に起きた杭州での二件の不動産値下げが強烈なインパクトを与えたのは、こうした「バブル崩壊の悪夢」が現実になったものだと受け止められたからだ。

実際、不動産市場は目に見えて低迷してきていた。毎年、中国では五月一日ごろのメーデーを中心に数日間の休みがある。この時期は不動産もよく売れるため「花の五一楼市(不動産市場)」と呼ばれてきた。しかし、二〇一四年のこの時期は、大幅に売り上げを落としている。

中原地産研究センターによると、同センターが観察している五四の大・中都市において、「花の五一楼市」で売れた不動産の件数は九八八七件。前年の同時期と比較すると、三二・五％の減少である。

北京では、販売件数がなんと約八割もダウン。また地方都市の保定では、この期間中に契約された不動産の数は、わずか一〇件だったという。バブルどころか大不況、いわゆる「不動産市場の五月厳冬」である。

予定価格の三分の一で売りさばく

売れないのであれば、値下げするしかない。二〇一四年三月から、全国的な不動産価格の下落傾向が始まった。「花の五一楼市」が大失敗に終わってからは、それがさらに加速していくことになる。

五月三〇日、『中国経済新聞網』は、重慶市最大の不動産開発プロジェクトである「恒大山水城」が三割以上値下げして売り出されたことを報じた。同日に放送された国営中国中央テレビの人気番組「経済三〇分」では、杭州市の分譲物件が、予定価格の三分の一で売りさばかれたという事案を紹介している。

不動産の値下げラッシュは、大都会の広州にも広まった。ある業者が史上最大の価格で取得した土地に作った「亜細運城」という大型物件も、約三割の値下げを余儀なくされたと『毎日経済新聞』が伝えている。

中国指数研究院は、五月三一日に全国一〇〇都市での定期調査の結果を発表している。それによると、この一〇〇都市での五月の不動産平均価格は、前月比で〇・三二%の下落。全国で値下げラッシュが行われているという実情を考えれば、この〇・三二%という数値は疑わしく、事実を充分に反映しているとはいえないのではないかと思える。

とはいえ、不動産価格がはっきり下落していることが、調査の結果としても表れたのだ。

夏になると、状況はさらにひどいものになった。八月一日の中国指数研究院の発表では、七月の全国一〇〇都市の新築住宅販売価格が六月に比べ〇・八一%下がっている。四月、五月に続いて三ヵ月連続での下落だ。八月には、全国七〇の主要都市のうち、実に六八都市で新築住宅販売価格が下落したと中国国家統計局が発表している（九月一八日）。

また、八月二五日の新華社通信の記事は、全国の中小都市で不動産開発業者による価格引き下げの「悪性競争」が始まったと伝えている。

山東省済南《さいなん》市の「恒生望山」という分譲物件は、半月のうちに二五%もの値下げが行われた。そのことに怒った購入者は、抗議デモを起こしている。八月二三日のことだ。九月三日には、広東省珠海《しゅかい》市の分譲物件が、一夜にして四分の一も値下げされている。大都会の北京でも、九月一五日に一部の不動産物件が三〇%以上も値下げ。不動産バブルの崩壊は、着実に進行しているのだ。

いや、それどころか、「総崩れ」目前の状態に陥ったといってもいい。

「中国の不動産価格は半分以下に」

ここまでの流れを整理してみよう。中国の経済成長が、いかに脆いものであったかが分かるはずだ。

①中央銀行の無制限な救済措置を背景とした、各銀行の放漫融資による投資の拡大。
②インフレによる金融引き締め政策を政府が実施。
③金融引き締めと放漫融資のツケで資金が枯渇した銀行が、住宅ローン業務を停止。
④不動産販売数が減少し、業者の在庫が激増。

⑤不動産の値下げラッシュ。

こうして見てみると、中国における不動産の好況はまさにバブル、泡のようなものであり、いつか弾けて当然だったと思える。しかし、バブルの最中には弾けて当然だとは思えないものだ。「バブルはいつか弾ける」と予測して、目の前にある金儲けのチャンスを逃す人間などいないのである。

開発業者はこぞって物件を作り、消費者は競うようにしてそれを買った。だがやはり、バブルは弾けようとしていたのである。日本にも、似たような経験をした人は多いのではないだろうか。

すると中国でも、不動産バブル崩壊は不可避とする声が大きくなっていった。新華指数公司の主席経済学者である金岩石《きんがんせき》氏が「中国の九割の都会で不動産バブルが崩壊する」と警告したのは二〇一四年九月三日のこと。

続く一一日には、中国で最大の自動車ガラス製造企業として知られる福耀玻璃工業集団のオーナー会長・曹徳旺《そうとくおう》氏が、香港のフェニックステレビの番組で「不動産バブルの崩壊は時間の問題だ」とし、投機目的で不動産を持っている人に対して「早く売りさばいたほうがいい」と勧めている。

高名な経済学者、北京天則経済研究所の理事長である茅于軾《ぼううしょく》氏も、「中国の不動産価格は今後、半分以下に落ちる」と断言。これらは中国国内の実情をよく知っている人物たちの発言だけに、大きなリアリティがあった。

国家直属のシンクタンクが認めた事実

中国指数研究院は、二〇一四年の一二月に、全国一〇〇都市の不動産価格がまたしても下がったと発表した。五月から七ヵ月連続での下落である。

こうした事態に、政府も手をこまねいていたばかりではなかった。二〇一四年の夏以降、中央政府と地方政府ともに久しぶりの利下げを断行。また、不動産購買に関する規制をことごとく撤廃している。こうした施策は「救市（不動産市場を救うこと）」と称された。

しかし、こうした必死の努力にもかかわらず、不動産市場の低迷と価格の下落を止めることはできなかった。

これは、中国式の神話が崩れたことを意味する。なぜなら、中国ではこれまでこういわれてきたのだ。

「政府はいつでも不動産価格をコントロールできる、だからバブルの崩壊はない」

だが、現実にはそうならなかった……政府が手を打っても、不動産価格はコントロールできなかったのだ。

では、今後の中国経済はどうなっていくのだろうか。

二〇一四年末に発表された中国社会科学院の「住宅白書」を見てみよう。ここでは、二〇一四年の住宅市場について、「投資ブームの退潮、市場の萎縮《いしゅく》、在庫の増加」といった問題点が指摘されている。そのうえで予測しているのは、「二〇一五年の住宅市場は全体的に衰退するだろう」ということだった。

中国国務院発展研究センターの李偉《りい》主任も、『人民日報』に寄稿した文章のなかで、二〇一五年の経済情勢について、こう記している。

「長年蓄積してきた不動産バブルは、需要の萎縮によって破裂するかもしれない」

同センターは、国家直属のシンクタンクである。そうした機関の責任者が「バブル破裂」の可能性を、初めて公然と認めたのだ。

李氏の発言も含め、いまや中国最高の頭脳を持つ者たちのあいだでも、不動産バブルの崩壊はすでに共通認識として定着しているようである。

大きく衰退する中国経済

では、本格的に不動産バブルが崩壊したとき、中国経済はいったいどうなってしまうのだろうか。

これまで、不動産業は中国経済の支柱産業といわれてきた。**二〇〇九年、土地の譲渡や住宅の販売など不動産関連で生み出された経済価値の総額は、七・六兆元にのぼったとされている。この年の中国のＧＤＰが三三・五兆元だから、ＧＤＰの二割以上を不動産ビジネスが占めていたのだ。**

それ以降も、不動産投資の伸び率は経済全体の伸び率の倍以上の数値を示してきた。ＧＤＰにおける不動産の占める割合は、ずっと高いままだったわけである。しかし、バブル崩壊によって不動産業が全体的に衰退するということになれば、中国経済は凄まじいダメージを受けることになる。

それは、経済成長率が一%や二%減るといった程度では収まらないだろう。中国経済の発展は不動産業によるところが極めて大きいのだから、それが衰退すれば、経済全体も大きく衰退する。

マイナス成長に転じた可能性

さらなる問題もある。中国政府が発表した、二〇一四年の経済成長率は七%台……この数字自体が、先述したように、実に疑わしいものなのだ。

よく知られているように、一国の生産活動の盛衰を見る際に重要な指標になるのは電力の消費量だ。たとえば、二〇一三年の中国の経済成長率は七・七%。それに対して電力消費量の伸び率も、同じ七%台の七・五%だった。しかし二〇一四年はというと、電力消費量の伸び率が急激に落ち、三・八%になっている。

経済成長率が電力消費量の伸び率より図抜けて高いというのは、やはりおかしい。実際には、二〇一四年の中国の経済成長率も、電力と同程度、つまり四%ほどではないかと考えられるのだ。

実際の経済成長が四%ほどだったとしたら大問題だが、それに加えて支柱産業である不動産業の衰退、すなわち不動産バブル崩壊が確実視されているのが現在の中国。おそらく高度成長は完全に止まり、マイナス成長に転じた可能性も大きいだろう。

不動産バブルの崩壊は、何も「土地や住宅が売れなくなった」という状態だけを指すのではない。不動産の価値が急落するということは、その持ち主である多くの富裕層、中産階級が、財産を大幅に失うということなのだ。

そうなれば、これまでも思ったように上がらなかった内需が、ますます冷え込むことになる。そのことが、経済の凋落にさらなる拍車をかけることだろう。

一年で一〇倍に増えた不動産の在庫

二〇一四年には、不動産バブル崩壊の広がりにともなった、ある事件も世間を騒がせた。

舞台は河北省の邯鄲《かんたん》という中都市である。七月下旬、市内最大の不動産開発業者である金世紀房地産公司、その経営者が夜逃げをしたのだ。

この会社は二〇〇〇年あたりから邯鄲市で不動産の開発を始め、オフィスビル、総合商業施設、分譲マンションなど、一〇〇件以上の不動産開発を手がけてきた。一時は資産総額が日本円で一〇〇億円にも達する大企業となり、市の経済界に君臨していたという。

ところが、この企業のオーナー経営者が突如として夜逃げ。家族を連れ、すべての連絡を絶って行方をくらませた。このとき抱えていた負債は五〇〇億円以上だったという。

それだけの負債を、地元の財界を代表するような人物が踏み倒して逃げた。その衝撃は大きかった。

しかもこの事件は、実はきっかけに過ぎなかった。その後一ヵ月で、卓峰地産、万聚地産、武安銀信集団、河北錦魁地産といった、同市の有名な不動産開発業者の経営者たちが夜逃げしたり、あるいは倒産を宣言したりしたのだ。いわば夜逃げラッシュ、倒産ラッシュ……。

この一連の事件は「邯鄲恐慌」と呼ばれ、同市の経済を揺るがすこととなった。

邯鄲市中心部の人口は一六〇万人ほど。そんな中都市に、一時は五〇〇もの開発業者が群がって不動産開発を行った。結果、生み出されたのは需要をはるかに超える数の不動産物件だ。

「そんなに作っても売れるわけがない」と冷静に考えることができる者はいなかった。どの開発業者も、不動産バブルに乗り遅れまいと開発を競ったのだ。

しかし、二〇一四年になると不動産が売れなくなっていく。開発業者たちは山のような在庫を抱えることになった。二〇一三年の市内での不動産販売面積は三五五万平米……しかし二〇一四年には、その一〇倍近く、三四八〇平米の不動産在庫が残された。

おカネをかけて作ったものが売れないのだから、開発業者たちは資金繰りが苦しくなる。といって、先述したように、銀行からいくらでも融資を受けられる時代ではなくなっていた。となると、選ぶ道は夜逃げか倒産しかないというわけだ。

年間利息三〇%という無謀な借金

普通に考えれば、夜逃げをするくらいなら不動産在庫を売りさばいたほうがいい。徹底的に値下げをし、在庫を減らせば、少しでも資金を回収できたはずだ。しかし実際には、こうした生き残り策さえも不可能な状況だった。

なぜなら、彼らはここ数年、不動産開発を進めるためにシャドーバンクから驚くほど高い金利の借金をしていたのである。最初に夜逃げをした金世紀房地産公司の場合、約五〇〇億円、すなわち二九億元の借金のうち、一五億元ほどがシャドーバンクからの借金だったという。

それ以外の開発業者たちも、多かれ少なかれシャドーバンクから借金をしていた。その総額は九二億元だというのが、地元銀行の試算である。その年間利息は、なんと一律三〇%……驚くべき数字だ。

そんな「高利貸し」から借金をすることになった理由は何か。本書の読者の方々にはもうお分かりだろう。

金融引き締めによって銀行の資金が枯渇《こかつ》し、不動産への融資を行わなくなった。それでも開発を続けるために、シャドーバンクから借金せざるを得なかったのだ。

もちろん、そうまでして不動産開発を続けたのは、誰もが「不動産の値段は上がり続け、不動産は儲かり続ける」と信じて疑わなかったからだ。逆にいえば、不動産開発業者たちにとって唯一の生き残る道は、不動産価格がいつまでも暴騰し続けること……そうすれば、年間利息三〇%という無謀な借金を返すこともできる。

しかし、不動産は売れなくなった。バブル崩壊が現実のものとなってきたのだ。

売れないから値下げをすればいいのかというと、そうはいかない。値下げをして資金を回収したとしても、シャドーバンクからの巨額の借金、恐ろしく高い利息を返すことなどできないからだ。であれば、残る手段は、良くて倒産、最悪の場合は夜逃げとなる。

シャドーバンクから巨額の借金をしていた不動産開発業者が、借金を踏み倒して夜逃げする。そうなると、今度はシャドーバンクが大打撃を被《こうむ》ることになる。これだけ額が大きければ、ほとんど致命的な打撃といっていいだろう。

まして、シャドーバンクが融資に使う資金の多くは、一般市民から調達したものだ。つまり、シャドーバンクが開発業者の夜逃げや借金踏み倒しで被ったダメージは、シャドーバンクに投資してきた個人投資家たちの財産を失わせることにつながるのだ。

邯鄲市では、市民の一割以上がシャドーバンクに投資していたという計算もある。やはり、不動産開発業者の夜逃げはシャドーバンクに大打撃をもたらし、シャドーバンクの大打撃は一般市民の投資家に大混乱をもたらすことになった。

なにしろ、一夜にして全財産、もしくはその半分を失った者までいたというのだ。彼らは連日、抗議行動を起こして市政府を包囲。「金を返せ！」を合い言葉にして暴動寸前の大騒ぎをした。まさに世紀末のごとく騒然とした雰囲気だ。

一〇〇兆円の返済期限が迫る信託商品

その一方で、正規の銀行も苦境のなかにいるのは変わりがない。夜逃げした不動産開発業者たちは、もちろんシャドーバンクだけでなく正規の銀行からも借金をしていた。その借金も踏み倒されたわけだから、よりいっそうの貸し渋りに走ることになった。

銀行がこれまで以上におカネを貸してくれないのだから、不動産市場はさらに低迷することになる。開発業者たちの資金難も進む。こうなると、もはや八方塞《はっぽうふさ》がりの状態といっていいだろう。

邯鄲市以外でも、夜逃げラッシュと借金の踏み倒し、そのことによる投資家への打撃はますます大きくなり、中国全土にさらなる広がりを見せる可能性もある。

そして、それが何を意味するのかは明白だ。不動産バブルが崩壊すると、その後にやって来るのは、金融の破綻《はたん》なのである。

二〇一四年三月二六日、新華社通信傘下の『経済参考報』が、ある記事を掲載した。それは、金融市場で大きなシェアを持つ信託商品が、二〇一四年から二〇一五年にかけて返済期限のピークに達するという内容だ。その金額は、五兆元、すなわち約一〇〇兆円にも達するという。

ここでいう信託商品とは、非正規の信託会社が個人から資金を預かり、企業や開発プロジェクトに投資するというもの。利回りが高いことと引き換えに、元金の保証はまったくない。非常にリスクの高い、ギャンブル的な金融商品である。シャドーバンクの中核をなしているのも、この信託商品だ。

返済期のピークを迎える信託投資……しかもその規模は五兆元。これが本当に返済されるのかが大きな問題だ。

中国の大手研究機関である中銀万国証券研究所が示した数字によると、全国の信託投資のうち、約五二％が不動産開発業に使われていたという。

しかし、不動産バブルの崩壊は、いまや火を見るより明らかとなった。シャドーバンクの投資信託が投資した不動産開発業は窮地に陥っている。となれば、資金の回収は困難を極めるといわざるを得ない。

邯鄲市でのような夜逃げラッシュや倒産ラッシュが全国に広まれば、それは信託商品の破綻も意味する。それはシャドーバンク全体の破綻であり、投資をしてきた一般市民にも破綻をもたらすかもしれない。

夜逃げで焦げ付いた二〇〇〇億円

経営者の夜逃げは、不動産業界にとどまらない。二〇一四年、中国の新聞では、「失《シー》聯《リエン》」という新造語が頻繁に登場した。言葉の意味は「連絡を絶つ」というもので、企業経営者の「失聯」が大きな話題になったのである。

邯鄲市を代表例に、倒産寸前となった企業の経営者が突然、連絡を絶って夜逃げする……もちろん、その際には企業の借金や未払い賃金などが踏み倒されるのが普通だ。

たとえば、以下のような「失聯事件」が新聞で報じられている。

一〇月二二日と二四日、広東省中山《ちゅうざん》市にある二つの照明器具企業「華亮灯飾公司」と「喜林灯飾公司」の経営者が、続けざまに失聯。「華亮灯飾公司」は、七〇〇〇万元もの借金を踏み倒したという。

すると二三日には、陝西《せんせい》省の「金紫陽公司」経営者が数億元の借金を踏み倒して失聯した。また二五日には、山東省でも企業経営者が従業員の給料四五万元を未払い状態のまま失聯している。

事件はまだ続く。一一月五日に、雲南省で不動産開発会社を経営していた人間が、県の「重点開発プロジェクト」の工事を途中にしたままで失聯した。一三日には、中国中古車市場において「第一ブランド（トップブランド）」とされる「易車匯」の経営者が失聯。これによって、全国に存在する数多くの店舗が閉鎖されることになった。

同じく一一月一三日、河南省の物流大手「東捷《とうしょう》物流」の経営者も失聯している。その結果、同社に商品を供給している数百もの企業が売掛金の回収ができなくなってしまった。

一四日になると、大連市で前代未聞の失聯事件が起きた。「中之傑物流」と「邁田スーパー」という二つの会社の経営者が同時に失聯。しかも、この経営者二人は夫婦だったのである。

このように、製造業から物流業まで、多岐にわたる業界で、経営者たちの夜逃げ事件が多発している。こうした企業にもシャドーバンクは融資をしていたから、ダメージはさらに深刻なものとなる。その結果、どうなったか。

そう、シャドーバンク、民間金融業者も、「失聯」することになったのだ。

四川省の成都市《せいと》では、二〇一四年一〇月二〇日に、民間金融業者「創基財富」会長の段《だん》家兵《かへい》氏の失聯が発覚。それに先立つ九月四日には、「聯成鑫」という民間金融の経営者が姿をくらましている。同一二日には、内江聚鑫融資理財公司の経営者が飛び降り自殺……。

そして、地元民間金融大手の四川財富聯盟が破綻、経営者の袁清和《えんせいわ》氏が夜逃げ先で拘束されたのは、一〇月初旬のことだった。こうした一連の「破綻・失聯事件」で焦《こ》げ付いた融資の総額は、一〇〇億元、すなわち約二〇〇〇億円に上ったといわれている。

中国経済の「死に方」が白日の下に

すでに記したように、信託投資の不動産業への貸し出しは、シャドーバンクの融資総額の約半分にも達している。不動産開発業者が破産、もしくは債務不履行ということになれば、シャドーバンク全体の破綻につながる。

ましてシャドーバンクは、**中国の国内総生産の四割以上もの融資規模を持っている。シャドーバンクの破綻は、中国経済全体の破綻につながる危機なのだ。**

ただでさえ失速している中国経済……そこに不動産バブル崩壊、それに続く金融破綻というショックが立て続けに襲ってくれば、中国経済そのものが危機を迎えることになる。いってみれば「死期」が目前に迫ってくるということだ。

邯鄲で起きた夜逃げ、倒産ラッシュと市民の騒乱は、中国経済の「死に方」、そのパターンを先んじて示したものだともいえるだろう。

中国経済が崩壊する日

このように、中国経済は、あらゆることが連動して崩壊に向かっている。二〇一五年夏の上海株暴落、その背景にも、実は不動産バブルが関係していた。

二〇一四年から株価が上がった要因の一つは、不動産で儲《もう》けることができなくなった投資家が株式投資にお金を回すようになったためだ。また、先述した返済期限が迫る約一〇〇兆円の理財商品についても、すでに償還不能になるものが出てきており、そこで「今度は株だ」となったわけである。

それまでの数年間、株価は低迷していた。しかしこうした状況で、中国政府の誘導のもと資金が株式市場に流れ込んだため株価が上がったという事情もある。中国経済や中国企業の状況が好転したわけではないのに株価だけが上がったのだから、いつか暴落するのは必然だった。

このことからも、中国経済の発展がいかに無理のある、矛盾《むじゅん》に満ちたものだったのかが分かる。

低賃金の労働者が大量に存在することが前提だった対外輸出は、内需の伸び悩みをもたらし、同時に世界経済の影響を受けやすいものだった。無制限ともいえる融資があって初めて成り立った不動産投資はバブルでしかなく、インフレによる金融引き締めもあって、破裂寸前の状態。そこで人々は株式投資に向かったが、やはりこれも実体のないバブルでしかなかった。

現在の中国には、無理な経済政策の結果として、たくさんの「ツケ」が回ってきているのだ。

共産党一党支配の安定は、ひとえに経済成長がもたらしたものだ。「この体制なら金持ちになれる」という思いがあったからこそ、民衆は共産党体制に従ってきた。だが経済成長がストップすれば、人民の共産党への信頼も失われる。

底辺の労働者たちは「現代流民」として社会への鬱憤《うっぷん》を溜め込み、それはいつか爆発するだろう。

株式市場は、中国経済にとって「最後の逃げ場所」だ。政府はどうにか株価を支えようとしているが、これもいつか必ず限界が来る。それが、中国経済の「命日」になるのではないか。

そして、その日は決して遠くない。おそらく二〇一六年には、中国経済は完全崩壊の日を迎えることになるだろう。

共倒れになる韓国

ここまで述べてきたように、活力と希望を失った、死に体の経済――それが中国経済のごくごく近い未来の姿なのだといえる。

中国がそうなっている以上、中国に進出している日本企業、さらには日本経済も影響を受けることになるが、二〇一三年の日本の中国への輸出はGDP比で三％以下、投資額は一％強でしかない。

しかし、日本以上に深刻な影響を受けることになる国がある。それが韓国だ。率直にいって、韓国は中国経済の破綻とともに「共倒れ」する危険性が最も高い国なのである。

二〇一四年の四月三日、韓国銀行の発表が世界を唖然《あぜん》とさせた。その発表とは、前年の韓国経済の対外依存度（GDPに対する輸出入の比率）が一〇五・九％になったというもの。一〇〇％を超えるのは、これで三年連続である。

そんな対外依存度の高い韓国にとって、最大の輸出相手国は中国だ。韓国の対中輸出は年々増加、対外輸出全体の二五％以上を占めている。

ということは、韓国経済の命運を左右するのは、対中国の輸出だということになる。中国の景気の良《よ》し悪《あ》しは、韓国経済の生死を決める要素だといっていい。そしていま、中国では不動産バブルの崩壊が現実化し始め、金融破綻をも迎えようとしているのだ。

中国経済が破綻すれば、韓国の輸出は大きく傾く。まして韓国は対外依存度が高いのだから、韓国経済は命綱を失ったも同然の状態になるのだ。それがすなわち「共倒れ」である。

事実、中国の景気が冷え込み、外国からの輸入が急速に減っているなかで、韓国の対中国輸出も低迷し始めている。

二〇一四年九月二日、韓国紙『朝鮮日報』は、韓国の対中輸出が四ヵ月連続で前年割れしていることを報じ、韓国経済の先行きに不安を示した。韓国産業通商資源部が発表した数字では、同年八月の対中輸出は、前年同月比で三・八％減少している。

韓国の対中輸出が減少し始めた二〇一四年五月以来、韓国経済はその大きな影響を受けている。

九月四日に韓国銀行が発表した第２四半期（四〜六月）の国民所得統計を見てみよう。名目ＧＤＰは前期比〇・四％ダウン。これは五年半ぶりのマイナスである。五年半前、二〇〇八年の第４四半期がどんな時期だったかといえば、世界金融危機である。

それ以来のマイナスを、韓国のＧＤＰが記録した。「反日」活動が注目を浴びている中国と韓国だが、実はそれどころではないのだ。

中国、韓国の経済が「共倒れ」する時期は、確実に近づいている。

第四章　怒れる現代流民の素顔

中国軍が動き天安門事件以来の騒乱に

二〇一一年、中国では大小合わせて一八万件もの暴動や騒乱が発生した。第二章でも触れたこの事態は、いったいどのようなものだったのだろうか。また、それらを起こしたのはどのような人々であり、いかなる理由で暴動に走るのだろうか。

中国で多発する暴動や騒乱――その性格を理解するために、まずは二〇一一年に発生した一つの事件を紹介してみよう。

この年の六月一〇日のことだ。広東省広州市の郊外で、露店商の妊婦が治安保安員（政府によって民間人から組織された治安員）から暴行を受けるという事件が起きた。それをきっかけに暴動が発生。これに加わった人数は十数万人にまで発展している。

この暴動は実に三昼夜にわたって続き、最終的には広州軍区から大量の中国人民解放軍が、武力制圧に乗り出すことになった。

――中国軍の正規部隊が暴動を鎮圧《ちんあつ》するために都会に突入してきたのは、一九八九年の天安門事件以来のことである。

発端は、市場でのいざこざだった。ブログ版『前進』を参考にして概要を伝えたい。市の郊外にある市場で、四川省《しせん》から出稼ぎに来ていた夫婦が露店商を営んでいた。販売していたのはジーンズである。

この夫婦に対し、治安保安員たちは商売をやめて立ち退くようにと要求。しかし夫婦が立ち退きを拒否したため、治安保安員が暴力で排除しようと、妊娠している妻を突き飛ばしたのである。さらには、駆けつけた警官隊が加害者である治安保安員をこっそりと逃亡させてしまった。

市場の露店で起こった出来事だったから、当然ながら目撃者も大勢いた。彼らは治安保安員と警官隊の振る舞いに激怒。妊婦に暴行した人物を差し出せと要求した。

しかし警官隊はそれに応じない。それどころか、治安保安員たちに加担し、抗議していた人々に棍棒《こんぼう》で殴りかかったのである。

こうして、事態はますます大きなものになっていった。怒りの火に油を注《そそ》がれた形の労働者や民衆たちが現場に続々と集まってくる。その数、数千人……彼らは治安保安員および警官隊と全面的に衝突した。

こうしてパトカー三台、さらに多数の民間乗用車が破壊されるほどの「戦い」が展開されることになった。

だが、事態はそれでも収束しなかった。翌日になると、一〇〇〇人以上もの人々が警察署の門の前に集結した。そうして、警官たちの出入り口を封鎖したのである。

さらには、自治体の建物が放火され、夜になると出稼ぎ労働者たちの大規模な抗議デモも発生した。そして彼らは、またしても武装警官と衝突したのである。

この抗議デモの先頭に立ったのは、被害者夫婦と同じ四川省からの出稼ぎ労働者だった。そこに地元の労働者も加わって、その数は一〇万人を超えたといわれている。ここまで大規模になると、武装警官ですらなす術《すべ》がなかった。

市当局は追い詰められ、一二日に被害を受けた妊婦の夫をともなって記者会見を行った。事件を一部の「不法者」の行為と決めつけ、そのことで事態を沈静化しようとしたのである。

だがそれでも、暴動が収まることはなかった。市庁舎や警察署はさらなる攻撃を受けた。街中の車も次々と破壊され、燃やされていく……。

こうしたなかで、政府はあるキャンペーンを行ってもいた。「外省人」である四川の人間たちに対して、激しい排外主義的な宣伝を行ったのだ。その狙いは、地元の広州人と四川人を分裂させることだった。

そして一三日、事態は最悪の終焉《しゅうえん》を迎えることとなった。この日の夜、ついに軍隊が投入されたのである。

繰り返しになるが、軍隊による暴動鎮圧は、天安門事件以来のことだ。

「農民工暴動」の実態

これが、中国全土を震撼《しんかん》させた「広州暴動」の一部始終だ。

重要なのは、被害者の露店商夫婦も暴動の主力となったのも、四川省の農村部から来た出稼ぎ労働者だったことである。

彼らのような農村からの出稼ぎ労働者は、中国では「農民工」と呼ばれている。つまり「広州暴動」は、まぎれもない「農民工暴動」だったのだ。

同じ二〇一一年の秋には、浙江省湖州市《せっこう》でも暴動が発生している。これも、農民工たちが起こしたものだった。これもブログ版『前進』を参考にして概要を伝える。

一〇月二六日から翌二七日にかけ、織里鎮《しょくりちん》という街において、農民工たちが蜂起。暴動を起こして警官隊と衝突している。この暴動でも、多くの警察車両に火が放たれ、民間の車も約一〇〇〇台が破壊された。負傷者は一〇〇人以上、八人が死亡している。これは暴動が多発している中国でも、最も激しく悲惨なケースの一つだ。

この暴動のきっかけは、税金の取り立てだった。

前年から税金が倍増。安徽《あんき》省の出身者、つまり外省人たちが経営していた小さな子ども服の工場に、役人が所得税を取り立てに来た。しかし工場の経営者たちは、これを拒否、重税に大きな不満を抱いていたからだ。

工場の外省人たちと地元の役人たちは口論するだけでなく揉《も》み合いになった。この騒動で、一人の女性工員が役人の暴力によって負傷し、病院に運ばれたという。

重税に加えて暴力……そもそも、農民工たちには日頃から「自分たちは差別を受けている」という不満が溜まっていた。彼らの怒りは爆発し、六〇〇人の農民工たちが道路を封鎖、デモを展開し始めることになった。

すると、そのデモ隊に警察が突入、十数人もの負傷者を出してしまった。そのことでさらに怒りを強めた農民工たちは、デモだけでなく大暴動を展開することになった……。

この暴動は二六日の夜に警察が鎮圧したと伝えられていたが、二七日になると再び暴動が始まった。そして最後は、広州暴動と同様に人民解放軍が出動。そうしてなんとか、事態が沈静化したのである。

中国の治安を脅かす「火種」とは

この二つの例からも分かるように、近年の中国で発生した暴動事件は、その多くが農民工、つまり農村から都市部に出稼ぎのために流れてきた人間たちによるものだった。

彼らこそ中国の治安を脅かす「火種《ひだね》」だといっていいだろう。いわば、暴動という行為に走りやすい人々の集団が「農民工」なのである。

ただし、それは農民工たちが「犯罪者集団」だとか「暴動者予備群」だというわけではない。考えてみれば、彼らが暴動という手段に訴えるのも仕方がない面があるのだ。

もともと都会に住んでいる普通の市民たちは、安定した職業があり、収入もある。そう不満を抱いているわけではないから、よほどのことがなければ暴動を起こすようなことはない。

だが農民工たちは、そうではないのだ。出稼ぎ労働者である彼らには、安定した職業はなく、満足のいく生活基盤もない。仕事といえば、もっぱら過酷な肉体労働。一方でさまざまな差別も受けている。

金も持っていなければ服装も決して綺麗《きれい》とはいえない彼らは、都市部に住む人々から「汚い」「貧しい」と日頃から蔑《さげす》まれている存在なのだ。ひどいことに、まともな市民としての権利さえも与えられていない。

農民工たちは、発展を続けてきた中国を安価な労働力として支える存在であると同時に、社会の最底辺に置き去りにされた人々なのだ。

そんな彼らが、社会の現状、自分たちの境遇について強い不満を抱いたとしても、決して不思議なことではない。彼らの胸中には、強い憤《いきどお》りと憎しみが常に渦を巻いているのだ。

そうした思いが、何かのきっかけで爆発する。それが暴動だ。自分たちの仲間が不当な扱いを受ける。納得できない暴力にさらされる。そのことで、彼らの溜まりに溜まった思いが爆発してしまうのだ。

農民工たちによる暴動――その究極のパターンは「革命」に近いものではないだろうか。つまり政府、共産党体制の打倒だ。

彼らは現在の中国の秩序、すなわち共産党首脳部がどうしても守りたいものをひっくり返してしまう可能性を秘めている。

政府にとっては、このうえなく危険な存在なのだ――。

過酷な農民工の労働実態

ここで、中国の農民工たちの厳しい生活ぶり、いかに社会に蔑《ないがし》ろにされているかの実情を紹介していこう。

広州市花都区にある「永安不銹鋼《えいあんふしゅうこう》」という不銹鋼（ステンレス鋼）を生産する企業では、勤務中に労働災害に遭い、六人の農民工が負傷している。しかも、足の指が切断されたり、失明したりという重傷である。にもかかわらず、彼らに対して会社からの賠償はいっさいなかった。

体が不自由となってしまった彼らは工場で働くことができなくなり、といって、再就職先も見つからない。路頭に迷いながら、企業の永安不銹鋼を相手に賠償を求める活動を続けるしかなかった。

そのなかの一人である趙小兵《ちょうしょうへい》さんは、二〇一二年五月一一日の夜九時頃に大怪我《おおけが》をした。趙さんはその日、午前八時から工場で働いており、あまりの疲労で集中力を失ってしまったのである。そして右手の手のひらが機械に巻き込まれ、中指と薬指がそのまま切断されてしまった。

もう一人の農民工・藍家順《らんかじゅん》さんの場合も同様だった。勤務中に居眠りした瞬間、左手が機械に吸い込まれて小指以外の四本の指が押しつぶされたのである。どうして居眠りをしたのか。

藍さんはこう証言している。

「ひどい過労からです。毎日一三時間以上も現場で働き、休めたのは月に一日だけ。いつも寝不足の状態だから、ちょっと気を緩めただけで居眠りしてしまった」

どうして、それほど長い時間、働かなければならなかったのかについても、藍さんは語っている。

「広州では物価が高く、食費だけでもバカにならない。精一杯働かなければ、稼いだ給料が自分の食い扶持《ぶち》だけに消えしてしまいます。それでは田舎にいる家族のために送金できない……だから必死になって働くしかないんです」

先述の趙さんも、やはり限界を超えた長時間労働を余儀なくされていた。労働災害で大怪我をした二〇一二年五月の前月である四月の一ヵ月間、彼の勤務時間は三八八時間にも上っていたのである。

一日の平均労働時間は、実に一三時間。しかも、休みを取ったのは一日だけだった……。

尉国慶《いこくけい》さんの場合、労働災害に遭ったのは工場に入って一八日目のことだった。

彼は新人として工場に入ったその日から、二台の機械の操作を命じられた。そして二〇一二年七月のある日、止まってしまった機械の歯車を鉄棒で調整しようとした際に、歯車が突然、猛スピードで動き出してしまう。

その反動で、手に持った鉄棒の先が飛んできて、彼の顔面を直撃。彼の左目は、そのことで潰されてしまった。

このとき彼はまだ一九歳という若さだった……。

彼らは勤務中に大怪我をして体が不自由になってしまったのに、企業側は彼らに対していっさい賠償を行おうとしなかった。

なぜなら、彼らは全員、正社員の身分ではなく、「臨時工」と呼ばれる非正規雇用者だったからだ。しかも、いかなる労働保険にも入っていないから、労働災害に遭っても金銭上の補償が何もない。

体が不自由になり、職場を失い、再就職もままならない。しかも賠償がまったくない。まさに絶望のどん底というしかない状況だ。

左目を失った尉さんにいたっては、二〇歳になる前に、生活のあても、未来への希望も、すべて失ってしまったのである。

殺人者になった農民工の悲劇

職場を追われた農民工が、そのまま人生の坂を転がり落ちて犯罪に手を染めてしまうこともある。

二〇一二年一一月、陳漢臣《ちんかんしん》は殺人罪で死刑判決を受けた。刑が執行されたとき、彼はまだ二七歳になったばかりだったという。

陳は貴州省松桃《しょうちょう》苗族自治県天平営郷の出身。中学校を卒業してから出稼ぎの旅に出た。あちこちを転々とした後、流れ着いたのが広東省の東莞《とうかん》市。二〇一一年秋から、台湾からの進出企業である「東莞大朗鎮華揚五金製品有限公司」で働くことになった。

彼もまた、工場での作業中に大怪我を負うことになる。二〇一二年四月のある日、作業中の陳は何かの手違いを起こし、左手の手のひらが機械によって押しつぶされてしまい、病院に運ばれたものの、手術によって左手が切断されることになった。

退院した陳は会社の独身寮に戻り、会社に対して賠償を求め続けた。しかし、会社はいっこうに応じない。そのうち、会社が暴力を使って彼を独身寮から追い出そうとした。

彼は「追い出されたら自殺する」と脅していたから、しばらく独身寮に居据わることができた。しかし、ある日、用事があって外出した彼が独身寮に戻った際、二人の男が玄関口に立って彼が入るのを拒んだ。

荷物は玄関前の路上に捨てられていた。堪忍袋《かんにんぶくろ》の緒が切れた陳は、荷物からナイフを取り出し、裏門から会社のなかに入っていく。そして、自分が求める賠償の窓口となっていた台湾人の管理職二人を相次いで刺し殺したのである。

裁判中、人生のすべてを諦《あきら》めた陳は、被害者の遺族に土下座して謝罪したうえで、自分自身への死刑判決を強く求めた。

そして望みどおり、死刑台で不帰の客となった――。

意識不明でも病院に運ばれず

二〇一二年八月八日には、重慶市雲陽県から広州市にある玩具工場に出稼ぎに来ていた孫阿鳳《そんあほう》さんという女性が、四二歳で亡くなっている。

彼女の旦那さんは肝臓の病気を患《わずら》って家で長期療養しており、彼女は一人で広州に出て働き、一家を扶養しながら旦那さんの医療費も稼がなければならなかった。

先述したように、中国では多くの人々が医療保険に加入していない。当然、医薬品も高額になる。

この年の六月から、会社はアメリカからの大量発注を受け、二四時間の生産体制で玩具の製造を急いでいた。

その生産ラインで働く孫さんは、蒸し暑い工場の中で毎日十数時間以上働き、休みのない日々が二ヵ月以上も続いた。そして二〇一二年八月七日には、彼女は朝八時から働き、一八時に仕事を中断している。

しかし、夕食を食べ、少しだけ休憩した後、一九時からは夜勤の仕事に入り、そのまま翌日の朝五時半まで働いた……疲れ切った体を引きずってトイレへ向かう途中で、孫さんは倒れ、意識不明となった。

そんな状況でも、会社は彼女を急いで病院へ送ったわけではなかった。工場にある仮眠場所で寝かせただけだった。午前八時三〇分ごろになって、孫さんの容態の異変に気がついた会社は、ようやく「板車」とよばれる人力で引く簡易荷台車を使って、彼女を近くの診療所へ送った。

しかし、診療所に着いたとき、既に彼女は息を引き取っていた——。

孫さんが亡くなった後、会社側はいっさいの責任を認めず、賠償を強く拒《こば》んだ。やがて、同じ工場で働く孫さんの同郷者有志が一致団結して仕事のボイコットを開始、労働争議を起こし、孫さんの遺族への賠償を会社に強く求めた。

その結果、会社は最終的に賠償金の支払いに応じることになったが、その金額たるや、わずか五万元（約九二万円）でしかなかった。

一七歳の凶悪犯罪者が生まれた必然

二〇一三年一一月一八日、指名手配中だった楊芝樹《ようしじゅ》という名の容疑者が広東省韶関《しょうかん》市で逮捕された。このとき、彼の年齢は一七歳。この年に広東省で指名手配された五〇人の「凶悪犯罪者」のなかで最年少だった。

彼の犯罪容疑は、以下のようなものだ。

二〇一三年一月二日、楊が広東省の大都会、広州市の街角にある焼き肉の屋台で友人たちと食事をしていたときのこと。数日前に殴り合いの喧嘩《けんか》をした少年グループが、女の子たちを連れて談笑しながら楊の前を通り過ぎようとした。

彼らの顔を見て、喧嘩の際の恨《うら》みを思い出した楊は、酒の力も借りて、焼き肉を切るために用意されているハサミを手にして少年たちに向かっていった。そして、少年グループの一人をいきなり刺してしまう。

刺された少年は病院に搬送された後に死亡……楊はそのまま逃亡した。そして一一月に、同じ広東省の韶関市で逮捕されることになった。

一七歳の少年は、どうして衝動的な殺人に及んだのか――。

楊芝樹もまた、内陸部の農村地域からやってきた農民工の一人だった。彼は中学二年生のときに故郷から姿を消し、広州に出稼ぎに来ている。建築の現場や飲食店の皿洗い場などで働いたそうだ。

逮捕された後の供述によると、広州という裕福な大都会で、仕事の辛《つら》さ以外で最も我慢できなかったのは、彼のような農民工が都会人から常に軽蔑の目で見られたことだったという。

どこへ行っても汚いもの扱い、あるいは犯罪者扱いをされて、まだ一〇代の楊はいつも心を傷付けられていた。

件《くだん》の少年グループと喧嘩したのも、そのためだった。

ある日、楊をはじめとする農民工少年たちは、貯めておいたなけなしのお金を使ってダンスホールに入った。そして、勇気を出して女の子たちのグループに声をかける。そこに現れたのが、都会の少年グループだったのである。

「てめえらのような田舎もんが、都会の女をナンパしようと思ってるのか？　笑わせんなよ」

すぐに喧嘩が始まったが、相手の人数が多かったため、楊たちは結局、逃げ出す羽目《はめ》に……その数日後、街角で喧嘩相手、すなわち地元の「都会人少年」たちの顔を見た途端、楊は我を忘れて凶行に及んだのだ。その結果、一人の「都会人少年」が命を失い、一七歳の楊も未来を失うことになった。

このような悲劇を引き起こしてしまうほどに、都会における「農民工差別」は深刻な事態となっているのだ。

強引な経済発展が農民工を犯罪集団に

現在、農民工が集中している広州などの大都会では、農民工による犯罪が大きな問題となっている。そして農民工の犯罪において、その主役となるのは一〇代、二〇代の若者たちだという。

三〇代以上の農民工たちは、都会で差別などを受けて酷《ひど》い目に遭ったとしても、自分が扶養しなければならない家族のことを考えて我慢する道を選ぶ。しかし、一〇代、二〇代の若い農民工はそうではない。

彼らは、何かあればカッとなって犯罪に走るケースが多い。また、直接的に何か酷い目に遭ったわけではなくとも、日頃の不満を晴らすためにさまざまな犯罪に走る傾向が強いともいわれている。

広州大学人権研究センターの研究では、近年、広州市内で発生した犯罪の約八割までもが農民工などの「外来人口」によるものであるとの数字もある。そして、農民工による犯罪のうち、その九割程度が二五歳以下の若い農民工の犯罪だ。

この研究によれば、若き農民工による犯罪にはいくつかの特徴があるようだ。

一番目は、楊芝樹の場合のように、日頃の不満や憂鬱《ゆううつ》から起きた衝動的な犯罪がよく見られることである。

二番目の特徴は性犯罪が多いこと。都市部での出稼ぎで性的ストレスが溜まり、そのはけ口を見つけられない若き農民工たちが性犯罪に走りやすいという。

そして三番目の特徴は、暴力を伴う犯罪が圧倒的に多いこと。つまり、人の目を盗んでの窃盗より白昼堂々の強盗が多く、金銭を奪えればいいというだけでなく、相手の体を傷つける犯罪も多いのだ。

若き農民工の犯罪には、もう一つの特徴もある。それは、犯罪の集団化が進んでいること……同じ地方出身の農民工たちが犯罪グループを結成して、最初は窃盗や強制猥褻《わいせつ》などの犯罪に走るのだ。そして、そこから徐々に凶悪化して、一種のマフィア組織と化してしまう場合も見られる。

都市部において若手農民工が大量に存在するという事実は、犯罪の多発だけにとどまらず、マフィア組織が生まれることにもつながっている。

ただ、だからといって農民工を一方的に「悪」と決めつけるわけにはいかない。なぜなら、その背景には劣悪な労働環境、長時間の労働と薄給、さらに都会人からの差別といった要因もあるからだ。

そしてこのことは、中国の強引な経済発展が導いた宿命でもある——。

宿舎には自殺防止用のネットが

こうした状況になることは、それ以前から危惧されていた。

たとえば、日本貿易振興機構（ＪＥＴＲＯ）アジア経済研究所は、二〇一〇年に中国で起きた工場での連続自殺事件とストライキについてレポートをまとめている。このレポートを参照しながら、農民工たちの生活にさらに迫ってみよう。そこから浮かび上がってくるのは、農民工たちの、想像を絶するほどに辛い生活ぶりだ。

「中国・出稼ぎ新世代の闘い　富士康連続自殺事件とホンダ工場ストライキをめぐる動向」と題されたこのレポートでは、まず富士康国際（電子製品の製造受託サービスを行っている、ホンハイ精密工業の子会社）の深圳工場で二〇一〇年に起きた連続自殺事件について分析している。この工場は、一般労働者だけで三一万人もいる大工場だ。

この工場では、この年の五月末までに、未遂を含め一三件の自殺騒動があった。深圳市総工会（官製の労働組合）が調査に乗り出したことも報道された。

レポートでは「不完全な統計」とされているが、中国メディアの『南方週末』によると、二〇〇七年に二件、二〇〇八年に一件、二〇〇九年にも二件、従業員の自殺が発生したそうだ。

しかも、中国国内のメディアは、自殺報道が新たな自殺を呼ぶ恐れから、この自殺騒動を報道してはいけないという通達を受けたという。経営陣も、当初は全国の自殺率に比べて数は多くないと発言したり、自殺の原因を家庭環境や社会問題だとして会社の管理責任を否定していた。

しかしその後、会社としても対応を迫られ、心理コンサルタントによる悩み相談ホットラインを設けている。従業員どうしの助け合いチームも作られている。さらには、管理職の顔写真を貼ったサンドバッグをストレス発散用に設置したという。宿舎には、自殺防止用のネットも張られた。

自殺者は一八歳から二四歳の若者……働き始めて半年以内の新人が多かったという。つまり、それまでとはあまりにも違う環境に適応できなかったということだろう。自殺未遂を起こした女性従業員は「生きるのに疲れた」と原因を語ったそうだ。

自殺が多発する工場に潜入した新聞は

レポートでは、この連続した自殺騒動について、報道と研究者の見解から、三つの問題を紹介している。

一つ目は、自殺者とその世代の特徴だ。これは事件が発覚した当初、会社側が説明したもの。自殺を個人的な行動としたうえで、その背景に恵まれない家庭環境や恋愛関係のトラブルといった精神的な問題を抱えていたとする。

また、中国では一九八〇年代生まれを「八〇後」、一九九〇年代生まれを「九〇後」と称して、こうした若者たちには精神的な脆さがあるともいわれている。もともと精神的に脆い若者たちが、家族や恋人との関係に悩んで自殺したのだという分析だ。

しかし、それだけで自殺の原因を片付けてしまうのは、むしろ不自然というものだろう。実際、レポートでは別の問題も指摘されている。

連続自殺事件の二つ目の問題。それは、富士康の企業としての問題である。

富士康では、単調な作業が長時間続き、就業体制は極度に効率化されているという。また工場内での人間関係が希薄で、そのことが従業員を精神的に追い込んだのだという。

そう指摘した『南方週末』紙は工場への潜入レポートを掲載――。

それによると、ベルトコンベアでの作業は単調で、なおかつ一時でもしゃがみ込むような余裕さえないという。宿舎に帰っても、同室の従業員の名前さえ知らず、会話はほとんどない。

しかも基本給が安い（九〇〇元＝約一万八〇〇〇円）ため、従業員はそれだけで生活を成り立たせることができない。よって、誰もが進んで残業し、単調で長時間の労働にさらに勤《いそ》しまざるを得ない「残業王国」と化していた。

レポートは、「富士康が労働環境の劣悪な極端な搾取《さくしゅ》工場で、従業員を自殺に追いやっているとの考え方は、概《おおむ》ね否定されている」としている。労働環境が劣悪な工場、搾取工場は他にもたくさんあるから、富士康がとりわけ悪いというわけではないということだ。

また、この工場には無料の宿舎と食堂、プールなどの娯楽施設、あるいは洗濯場などの生活サポート施設もあり、環境は決して悪くはないとされた。

ただ、一歩引いた目で見れば、そして先述したような、その後の農民工たちに起きたことを考えれば、富士康だけでなく中国の工場での労働環境全体が問題なのだともいえるだろう。富士康だけが取り立てて悪いのではなく、むしろ全体的に環境が劣悪なのではないか。

都市戸籍者の四割以下の賃金

もう一つ、レポートで紹介されている問題点は、農民工を取り巻く「社会体制の矛盾と悪化」である。

農民工たちは、安価な労働力として中国の経済成長に大きく貢献してきたが、保護制度からは外《はず》されて低賃金を余儀なくされてきた。

『南方週末』に掲載された記事で、深圳当代社会観察研究所の劉開明《りゅうかいめい》総裁は、一九九二年以降、都市において賃金の格差が広がる一方であるとしている。

二〇〇八年、農民工たちの主な出稼ぎ場所である珠江《しゅこう》デルタ（広州、香港《ホンコン》、マカオ周辺の三角地帯）、長江デルタ（上海、江蘇省南部、浙江省北部の三角地帯）においては、農民工の賃金は、都市戸籍を持って普通に働く者の三七・八％でしかなかった。

すると、地元出身者が二〇万円もらえるところを、七万五六〇〇円ほどしかもらえないということになる。

しかも、一九八〇年代以降に生まれた新世代（第二世代）の農民工たちは、第一世代よりも所得が減っているともいう。

彼ら新世代の農民工たちには、親の出稼ぎのために幼くして故郷を離れ、都市で育った者も多い。農村で育ったとしても、農業の経験がないままに出稼ぎに出たという場合もある。

つまり、都市で育ちながら都市戸籍がないし、都市での生活がいかに厳しいものでも、農村に帰ることはできないのだ。それが、彼らの焦《あせ》りと迷走につながっていると『南方週末』はレポートしている。

ホンダ工場の労働組合の正体

同じ二〇一〇年の五月一七日には、広東省仏山市のホンダの部品工場で、従業員によるストライキが発生した。一〇〇人にもおよぶ従業員たちが仕事を放棄し、賃上げを要求したのである。

始まりは、変速機組立科の二人の工員が仕事をしなくなったことだった。この若者二人は、他の従業員にストライキを呼びかけたという。以前から賃金に不満を持っていた従業員たちがこれに加わり、工場の外にある運動場で「散歩」を始める。事実上のデモである。

工場側は一週間以内に回答することを約束。そのことで、数時間後にはストライキは収束した。

しかし、五月二四日に工場側が出した回答は、従業員たちの要求には届かないものだった。労使交渉は合意に至らず、それどころかストライキのきっかけになった二人を解雇するという工場内放送もあった。

この二人は、強制的に辞職願にサインさせられたのだという。

これを知って、従業員たちは退職願の返却を要求。ストライキは拡大し、工場は就業停止状態に。その影響で、中国国内にあるホンダの完成車組立工場四つが操業停止に追い込まれている。

労働者側は、当初は賃上げのみを要求していたが、ストライキの拡大のなかで、「ストライキに参加した従業員を解雇しないこと」「工会（官製の組合）の再組織」なども求めることになった。官製の、つまり形だけの組合ではなく、自分たちによる真の意味での組合を持とうということだろう。

従業員一六人が組織した協議代表団は、「全ての労働者と社会各界に宛てた公開状」において、以下のように書いている。

「我々の権益保護闘争は本工場の従業員一八〇〇人の利益のためだけではなく、我々は全国の労働者の権益にも関心を持つものです。私たちが労働者の権益保護のよい前例を打ち立てることを希望します」

レポートにも書かれているように、中国ではストライキは違法行為である。公有性の中国ではストライキは存在しないという理由で、憲法からもスト権についての記述が削除されたほどだ。

先述したように、組合は官製、つまり共産党の下部組織である工会だけ。もちろん、これは経営寄りの組織ということになる。

ホンダ工場のストライキでも、工場の工会は労使協議に従業員代表として参加したわけではなかった。

また工場のある南海区と獅山鎮《しざんちん》の総工会が労使協議に介入したが、やったことはというと、従業員のバックアップではなかった。逆にストライキの早期終結を狙って、従業員たちを職場に復帰させせようとしたのだ。

こうしたなか、広州汽車集団副董事長にして総経理の曾慶洪《そうけいきょう》氏が仲介に入る。これは地元政府が手を回してのことだと推測されている。また、労使問題の専門家である中国人民大学労働人事学院の常凱《じょうがい》教授も仲介、立場は従業員側の法律顧問である。

六月四日、南海区労働部門が主催した労使協議には、曾氏が第三者として参加している。賃金の三五%アップ、ストライキに参加した人間の責任を追及しないことなどで合意に達し、ストライキは終わった。

中国全土の農民工が一斉に蜂起したら

この一件は、本来は法律違反であるストライキが黙認され、従業員側の要求もある程度は受け入れられて合意に達したという点で画期的だったといえるだろう。それまでならば「社会の安定を脅かす暴動」「不穏な事件」として強制的に介入したり、経営者に加担することで解決しようとしていたはずである。しかし、このときの地方政府は従業員たちを強引に押さえつけることをしなかった。

凱教授は、そのことが問題の解決につながったと評価しているという。

「地方政府のこのような新しい動きには、当然ながら中央の示す方向性が強く影響しているはずである」――レポートにはそう記されている。

その方向性とは、貧富の差の縮小を目指す胡錦濤《こきんとう》政権（当時）の方針であり、二〇〇八年施行の労働契約法による労働者保護の流れだ。こうした方向性は、労働者、とりわけ農民工たちの不満が爆発し、制御不能な事態になってしまうことへの、政府の危機感の現れではないだろうか。

自殺騒動の結果、富士康は一定の業績を達成した従業員に対して賃金を六六％アップすることにしたという。ホンダ工場では、政府が中立的な立場を取ったこともあって、ストライキが解決の方向に向かった。

しかしレポートは、

「二つの事件の背景にある中国の出稼ぎ者をめぐる問題は個別企業の賃上げで解決する問題ではなく、問題は引き続き未解決だといえる」

としている。また、

「二つの事件は、自殺とストライキという異なる形をとったが、その根底には従業員の不満・絶望・憤慨《ふんがい》という共通の背景がある」

とも書いている。

実際に中国では、その後もストライキが各地で発生し、さらに農民工の扱いをめぐってさまざまな事件が起きていることは先述した通りだ。

中国は、このような火種を常に抱えている。いたましい事件が起き、農民工たちの不満は突発的に爆発する。もし、彼らの不満が最大級に達し、中国全土の農民工たちが一斉に政府に反抗を始めたら……そんな近未来の中国の予想図については、次章で説明しよう。

その前に、こうした農民工たちがなぜ誕生したかを考えてみたい。

二億人以上の「暴動者予備群」

農村から都市部に流れてきている人々の数は、一体どれほどなのか、具体的な数字で見てみよう。

二〇一二年八月六日、中国の各メディアは「中国流動人口発展報告二〇一二」の主な内容を報道している。これは、国家人口計画生育委員会がまとめたもの。それによると、二〇一一年、中国の流動人口は全国で二億三〇〇〇万人。その時点で史上最高の数を記録している。そのうちの八割は、農村戸籍を持つ人々だという。そして、その平均年齢は二八歳である。

その一年後に政府が正式発表したところによると、流動人口はさらに増加して二億六〇〇〇万人に達している——。

中国における流動人口とは、安定した生活基盤を持たず、職場と住居を転々としている人々を指している。そんな人たちが、日本の総人口より一億人も多く存在しているのが中国という国の実情なのだ。

不安定な生活を強いられている流動人口、その大半が農村部から流れてきた農民工である。先述したデータの「八割が農村戸籍」とは、そういう意味だ。

ということは、**現在の中国には、いつでも何かのきっかけで暴動を起こすかもしれない人々が、二億人以上も存在するわけである。**

二億人以上の「暴動者予備群」——そう考えると驚くべき数字だし、政府にとっては恐怖以外の何物でもないだろう。

それだけの数がいる以上、彼ら全体がまとまって集団的に爆発すれば、共産党政権は跡形もなく吹き飛ばされてしまうかもしれない。

二億人を超える現代流民、すなわち暴動者予備群に対して、中国軍は数百万人程度でしかない。本格的な暴動が、地方ではなく中央で、もしくは中国全土で一斉に起きてしまったら、それを鎮圧することは軍隊をもってしても不可能だろう。

現代流民たちが持つ潜在的な力は制御できないほどのものにまで、強まっているのだ。

高度成長に必要だった二億六〇〇〇万人

ではなぜ、これほどまでに多くの農民工たちが生まれることになってしまったのか。彼らはなぜ、生活基盤のあった故郷の農村から離れて、都会で不安定な「流動生活」を送らなければならなくなったのか。

実は、そこには中国の経済成長が大きく関係している。中国の経済成長とは、彼らの犠牲の上に成り立つものだったのだ。

これまで何度も書いてきたように、ここまで中国経済を引っ張ってきたのは対外輸出の継続的拡大だ。二〇一〇年までの二〇年間には、中国経済全体の成長率が一〇%ほどだったのに対し、対外輸出の伸び率は毎年二五%以上。世界中で中国製の「安物」がシェアを拡大し続け、外貨を稼いできた。

なぜ安く商品を作ることができたのかといえば、人件費が安いからだ。そして、安い賃金で働いてきたのは誰かといえば、結局は農村部出身の労働者なのである。

若き出稼ぎ労働者たちは、内陸部の農村から沿岸地域に流れ、そこで働くことになった。働く場所はといえば、主に輸出向けの加工産業といった、低賃金の工場である。彼らが安い賃金で働くことで、中国の対外輸出の継続的拡大、つまり安い商品を大量に売ることが可能になった。そしてそれが、中国の経済成長を支えてきた。

逆にいえば、中国が高度成長を果たすためには、二億六〇〇〇万人もの流動人口を必要としたということでもある。

「ハコモノ作り」でGDPの半分を

中国の高度成長を牽引してきた「二台の馬車」のもう一方、固定資産投資の継続的拡大にも、流動人口は深く関わっている。

二〇一〇年までの三〇年間、政府の公共投資やインフラ投資、民間の住宅建設を合わせた国内の固定資産投資の伸び率は、概《おおむ》ね二〇%から三〇%前後を記録している。一方、経済全体の伸び率は一〇%ほどである。

すなわち経済全体の二倍から三倍ものスピードで、固定資産投資は伸びてきた。簡単にいえば、「ハコモノ作り」の規模拡大が中国経済を発展させてきた一つの要因なのだ。

その結果として、**中国での固定資本形成は、二〇一二年の数字でGDPの約四六%にまで達している。他の先進国は二〇%以下だから、極端に多い数字だ。**

これに対し、民間消費はというとGDPの三五%程度である。日本は約六〇%だから、こちらは相当に低いことになる。

ここから分かるのは、中国の経済は民間消費（内需）ではなく、政府による公共事業、民間の不動産投資がメインだったということ——。

先述した「世紀の大普請」という言葉通り、この数十年間の中国では、いたるところで公共投資や不動産投資が盛んに行われてきた。道路、鉄道、それに不動産の開発が進んで、そのことで中国経済は成長してきた。

公共投資や不動産投資に最も熱心だったのは、実は全国の地方政府だった。

地方政府は、中央政府から経済成長の「目標」の達成を課せられている。目標を達成すれば、その地方政府の幹部が出世できるというわけだ。

民間消費が停滞し、地方経済がうまくいかないなか、何をすれば経済成長の目標を達成できるか。

——答えは公共投資だった。それが最も手っ取り早い方法だったのである。

農民から土地を取り上げ労働力にも

一九九四年の財政改革によって、中央政府と地方政府は税収を六対四で分けることになった。そのことが、地方政府の歳入を減少させることにつながっている。

財政難では公共投資もうまく進まない。そうなると経済成長の目標も達成できない。となると、地方政府の幹部は出世のチャンスを失うことになってしまう。それどころか、自分たちのポケットに入れるべき不正資金も減ってしまうわけだ。

こうした事態に対して、地方政府が盛んに採った対策が、土地を整備して不動産開発会社に使用権を売ることだった。

中国の土地は公有制だから、所有権は地方政府が持っている。そこで彼らは、農民たちが耕してきた農地を、半ば強制的に取り上げた。そしてそれを、不動産開発業者に売りさばき、財源を捻出したのである。

不動産開発業者は地方政府から使用権を買った土地にビルや住宅を建築して、それを投資家や金持ちに売った。

一方、農民たちは、不動産投資のために土地を取り上げられてしまった。それは、彼らがこれまでの生活基盤を失うことを意味していた。だから、彼らの一部は農村部を出て、沿岸地域に流れるしかなかったのである。それが、大量の流動人口である農民工を生んだ原因にもなってしまった。

また、別の農民工たちは、公共事業投資や不動産開発投資によって生まれた建築現場で働くことになった。ここでも、農村の人々が安い労働力として吸収されたのだ。

地方政府からすれば、農民から取り上げた土地を売って財源とし、さらに労働力をも手に入れたことになる。一石二鳥ではないが、同時に二つの「資源」を手中にしたのだ。

これが、二億六〇〇〇万人もの流動人口を生んだ最大の原因だ。

農民たちから取り上げた土地が開発され、投資の対象となり、土地を取り上げられた農民たちは、農民工として安価な労働力となる。つまり中国の経済成長は、農民たちが生活基盤を破壊されたことで実現したものだともいえるのである。

ここにも、中国の「歪んだ経済成長」の実態が見える。しかし、その成長が歪んだものでしかない以上、いつかは破綻をきたすことになる。そしていま、まさに中国には破綻の時が訪れようとしている。

行き場を失い始めた農民工

中国経済の破綻——その大きな引き金になるであろう事態とは、第三章で詳しく説明した不動産バブルの崩壊である。

かつて日本も経験したことだが、不動産バブルの崩壊がもたらす悪影響は非常に大きいものがある。その一つが、金融機関が大量の不良債権を抱え込むことだ。そのことで金融活動全体が急激に萎縮《いしゅく》し、停滞することになる。

そして、金融活動の停滞が招くのは、生産活動の停滞だ。それは経済全体の冷え込みにつながる。

もちろん、不動産バブルが崩壊すれば不動産投資が立ち行かなくなり、それは不動産業の繁栄から恩恵を受けていた関連産業にもダメージを与えることになる。つまり、鉄鋼やセメントといった基幹産業の多くも、深刻な不況にあえぐことになるのだ。

不況に陥ることで行われることは何か。当然ながら人員整理、つまりリストラである。不動産バブルの崩壊は、さまざまな産業でのリストラの嵐につながる。

そして真っ先にリストラの対象となるのは……そう、農民工たちである。

彼らは都市部での市民権を持たず、正規ではなく非正規雇用で働いている。基本的に単純労働に従事し、特殊な技術を持っているわけでもない。不況に苦しむ企業にとって、最も「クビを切りやすい」存在であるのが農民工たちなのだ。

農民工たちがリストラされるのは、不動産開発の現場でも同じだ。不動産の建築工事においては、大量の農民工たちが労働力として吸収されてきた。この分野に、最も多くの農民工たちが流れているのだ。

だが今後、不動産バブルの崩壊によって不動産投資は激減することになる。そうなれば、全国の建築現場を回ってどうにか生活を成り立たせてきた農民工たちが、その行き場を失う……。

輸出産業からもはじき出されて

それだけでも深刻な問題なのだが、また別の問題が事態の過酷さにさらなる拍車をかける。「二台の馬車」の一つである輸出産業も、危機に瀕しているのだ。

不動産バブルの崩壊と同時進行で、中国の輸出産業も傾いてきた。近年、国内の人件費が上昇し、当然のことながら商品の価格に反映された。しかし、そもそも中国製品は安いからこそ世界中で売れてきたのだ。それなのに価格が上がってしまっては、売れる理由がなくなってしまう。

これまで中国から「安物」を輸入してきた他の国々にしてみれば、「中国製品が高くなったのなら、もっと安い別の国から買えばいい」となるわけである。

実際に、中国製品の国際競争力は、人件費が中国より安い東南アジアの国々によって削《そ》がれることになった。安いものを輸入したければベトナムやインドネシアから、というわけだ。

もはや、中国の対外輸出の成長は完全に止まっている。二〇一〇年まで毎年二五％以上を記録していた伸び率は、二〇一三年には七・九％にまで下落している（先述の通り、この数字にも信用性が乏しいのだが）。二〇一四年の第1四半期にいたっては、とうとうマイナス成長。そして二〇一五年八月に発表された中国税関総署の貿易統計では、七月の輸出が前年同月比でなんと八・九％も減少していることが分かった――。

今後もこの傾向は続いていくだろう。となれば、輸出産業においてもリストラの嵐が吹き荒れることになるのは必至だ。そしてリストラの対象となるのは、ここでもやはり、これまで安い賃金で働いてきた農民工たちなのである。

習近平体制を簡単に覆す現代流民

このように、これからの中国では農民工たちの大量リストラが起こることになるだろう。輸出産業でも、鉄鋼・セメントなどの基幹産業でも、そして農民工たちの最大の就職口だった不動産の建築現場でも——。

農民工たちは「使い捨て」状態となり、まるで不用品であるかのように企業から見放され、職を失うことになる。

先に記したように、中国は二億六〇〇〇万もの流動人口を抱えている。その八割が地方戸籍の農民工。つまり現在の中国では、それだけの人々が職を失う可能性があるということだ。しかも彼らは、まだ二〇代や三〇代の働き盛りなのである。

にもかかわらず、農民工たちは農村に戻ることもできない。戻ったとしても、彼らの耕すべき土地は地方政府に奪われ、存在しない。もちろん、それ以外にも生計を立てられる仕事はない。

そもそも、中国の耕地面積はすでに足りない状況になっている。七億人もの農民がいるからだ。それに加えて、不動産開発のために多くの農地が奪われたのである。

これから、中国ではどのようなことが起きるのか。その答えは「現代流民の大量発生」である――。

工場や建築現場をリストラされた二億人を超える農民工たちは、職場を失い、帰る場所もなくして、都市部と農村の狭間《はざま》で彷徨《さまよ》うしかなくなってしまうのだ。

農民工たちは、かろうじて職がある現在でも、社会の底辺で生きている。そして不当な扱いに対して大いに不満を募らせている。ひとたびその怒りに火がつけば、警察と衝突することさえ厭《いと》わない。本章の冒頭でも書いたように、警察署を取り囲み、パトカーを破壊して見せるのだ。

そんな彼らが、行き場を失い、未来への希望を徹底的に奪われたら、いったいどんな行動に出るのかは想像に難くない。

現在の中国では、火がついたらとてつもない大爆発を起こしかねない現代流民たちが生まれつつある。大爆発の危険は、すぐそこにあるといってもいい。

実際、中国は数千年の歴史のなかで、何度となく動乱と崩壊を繰り返してきた。その歴史がまたしても繰り返されるのか――その可能性は、決して低くはない。

次章では、現代流民と同じ境遇に置かれた貧しい人々が、いかにして中国の歴代王朝を倒してきたかを見ていく。すると、盤石《ばんじゃく》にも見える現在の習近平体制が、いとも簡単に覆《くつがえ》されるシーンが目の前に投影されるだろう。

第五章　歴代王朝の崩壊が映す近未来

中国の歴史は国家崩壊の歴史

中国の農民工、すなわち現代流民たちが抱える不満と怒りは、いずれ共産党体制の崩壊にもつながりかねない危険な火種だ。

億単位で存在する彼らの、溜まりに溜まった思いが爆発し、その矛先《ほこさき》が共産党という現代中国の支配者たちに向かった場合、軍隊をもってしても制御できるかどうかは分からない。

民衆の反乱による国家の崩壊——もしかすると、日本のみなさんには絵空事《えそらごと》のように感じられるかもしれない。しかし、その可能性は決して低くないと私は見ている。

日本にはしっかりとした選挙制度があり、正式な手続きで政権交代を実現できる。権力者を、その座から引きずり下ろすことができる。しかし、中国は共産党の一党独裁である。

もし、世の中に不満が充満し、どうしても社会を変えなければならないと民衆が感じたら、文字通りの意味で権力者たちを「打倒」しなければならない。そう考えるようになっても不思議ではないのだ。

そしてそれは、過去二〇〇〇年以上にわたって中国で繰り返されてきたことでもある。一つの国において国家組織が潰れ、社会秩序が失われて国全体が内乱、あるいは内戦状態になることを、普通は「国家崩壊」という。中国では、そんな事態が何度となく繰り返されてきたのである。

紀元前二二一年、秦《しん》の始皇帝《しこうてい》が中国史上初の統一帝国を作り上げて以降、この国では王朝が変わることが「慣例」だといってもいい。

中国には「易姓革命《えきせいかくめい》」という政治思想もある。王は天命によって国の統治を任されているのだから、もし徳を失い、失政が続けば、天命によってその座を奪われ、別の姓を持つ者に取って代わられるという考え方だ。中国史においては、王朝が変わるのが当たり前なのである。

そして一つの王朝が崩壊するたびに、中国全体に長い無秩序の状態、すなわち内乱や群《ぐん》雄割拠《ゆうかっきょ》の内戦状態が訪れる。

たとえば、日本でもよく知られている三国志の時代。漢王朝が民衆の反乱によって潰され、曹操《そうそう》や劉備《りゅうび》や孫権《そんけん》といった乱世の英雄たちが登場し、天下取りの戦いを続けた。その期間は、実に一〇〇〇年以上に及んでいる。その間の中国は、まさに内戦状態であり、国家としては「崩壊」していたわけだ。

本章では、こうした「中国崩壊の歴史」を振り返りながら、現在の共産党という「王朝」にどんな未来が待ち受けているのかを予測してみたい。

まずは、中国の各王朝がどうやって生まれ、なくなっていったかを見てみよう。

わずか一五年で滅んだ初の統一帝国

紀元前二二一年、秦の始皇帝は中国に並立していた国々をことごとく制し、中国で初めての統一帝国を樹立した。しかし、紀元前二一〇年に始皇帝が死ぬと、たちまち民衆の反乱が全土で発生することになる。

帝国が滅んだのは、そのわずか四年後の紀元前二〇六年。「万世永続」だったはずの帝国の命は、たった一五年しかなかった。

その後、さらに四年間の内戦状態を経て、中国は再び統一される。劉邦《りゅうほう》によって作られた漢王朝である。ここから続いた二〇〇年を超える長い泰平の時代を「前漢」という。

しかし、前漢の王朝は王莽《おうもう》という人物に乗っ取られてしまう。紀元八年のことだ。そのことでできた王朝、新も、一五年で潰《つい》えることになった。

原因はやはり、反乱である。秩序と平和が取り戻されたのは、紀元二五年のことだった。

続く後漢王朝は、中国に一六〇年近い平和をもたらした。だが、一八四年には黄巾《こうきん》の乱が起きる。そうして内乱状態になった中国は、三国時代に突入。司馬炎《しばえん》の立てた王朝、晋《しん》（西晋）が全国を統一し、乱世に終止符を打ったのは二八〇年のことだった。黄巾の乱から、およそ一〇〇年間も戦《いくさ》による混乱の時代が続いたことになる。

この晋王朝も、建国からわずか二一年で皇帝が死ぬと、またしても戦乱の時代を迎えることになる。

「蛮族」の作った前趙《ぜんちょう》という国によって晋王朝が滅ぼされたのは三一六年。そこから五八九年まで、中国は「南北朝時代」を迎えた。分裂と戦乱の時代である。五八九年に天下統一を成し遂げたのは、楊堅《ようけん》の隋《ずい》王朝だ。

この隋王朝の二代目皇帝である煬帝《ようだい》は悪名が高く、唐《とう》王朝に天下を奪われることに。六一八年から始まった唐の時代は、中国史上最も繁栄した時代だった。しかし七五五年、安《あん》禄山《ろくざん》の乱が地方に発生し、それをきっかけに、唐王朝も衰退の道を歩むことになる。

さらにその一二〇年後、八七五年に民衆の大反乱である黄巣《こうそう》の乱が起きる。すると首都の長安《ちょうあん》も陥落。ここで、国家としての唐王朝は事実上崩壊した。

貧農たちが巨大な王朝を次々に打倒

ここから中国は「五代十国」の時代に入る。あちこちで地方政府が林立し、内戦に明け暮れる大乱世は、その後、一二〇年以上も続くことになった。それに終止符を打ったのが、趙匡胤《ちょうきょういん》という人物である。

趙匡胤は地方政権である後周《こうしゅう》王朝を乗っ取ると、宋《そう》王朝を樹立。九七九年に中国を統一する。この宋王朝は、特に文化が繁栄した時代だった。

しかし一一二五年頃から遊牧民族の騎馬軍団が宋への侵略を開始。あっという間に王朝を制圧してしまう。

宋の皇族の一人は、中国の南方に逃げ落ちて、南宋《なんそう》王朝を作る。遊牧民族と講和条約を結ぶことで一五〇年のあいだ生き延びることができたが、新興のモンゴル帝国によって一二七九年に滅ぼされた。

——中国はついに、異族によって支配されることになったのだ。モンゴル帝国、すなわち元《げん》の時代は、約一〇〇年間続くことになった。

だが、ここでもやはり反乱が起きる。一三五一年の紅巾《こうきん》の乱である。元王朝は崩壊し、中国はまたも戦乱の時代を迎えた。これを平定したのが、反乱軍のリーダー、朱元璋《しゅげんしょう》だった。

一三六八年、朱元璋は競争相手をことごとく潰して明《みん》王朝を作る。こうして訪れた平和な時代は、約二六〇年間続いた。

その後、一六三一年（年代には諸説あり）に李自成《りじせい》の乱が起き、明王朝は崩壊へと進んでいく。李自成の反乱軍は、一六四四年に首都の北京を陥落させる。

彼らが宮殿に攻め入ってくると、皇帝は最愛の王女を惨殺。自身も首を吊って自害した。それが、明王朝の最期だった。

朱元璋も李自成も貧農の出で、いってみれば現代流民と同じ立場。そんな人たちが巨大な王朝を倒してきたのである。

歴史の四割が内戦時代

明王朝に代わって中国を支配することになったのは満州族であった。彼らが一六四四年に建国した清《しん》王朝は、その後一九一二年まで、二六八年間にわたって続いた。

だが、イギリスとのアヘン戦争に敗れ、一八五一年には太平天国の乱が発生。やはり農民たちが母体となってできた太平天国軍は、中国の南半分を占領することになる。

そして一九一一年には、孫文《そんぶん》率いる革命勢力が蜂起。皇帝は退位に追い込まれ、王朝は崩壊する。それ以後、中国は近代的共和国の時代に入る。

ただ、近代的共和国としてスタートした中華民国ではあったが、革命が成功した途端《とたん》、革命軍たちは分裂。大小さまざまな軍閥が各地をそれぞれに占領、内戦を繰り広げたのである。

そして一九二〇年代の末からは、孫文が作った政党・中国国民党を受け継いだ蔣介石《しょうかいせき》が、ソ連共産党の援助を受けて自前の軍隊を作り上げ、中国の統一へ動いた。

しかし、それがある程度成功したところで、やはりソ連共産党に支援された中国共産党が国民党政権への反乱を起こした。清王朝が崩壊しても、また二〇年以上、内戦が続いたのだ。

その後、蔣介石の国民党政権は、日本との戦争に突入する。軍隊が日本との戦いに全力を挙げるなか、それに乗じた共産党のゲリラ軍はひそかに勢力を拡大。日中戦争が終わると、国民党と共産党の全面戦争が勃発《ぼっぱつ》してしまう。

両勢力の熾烈《しれつ》な内戦は、三年以上にもわたって続いた。その結果、共産党軍が勝利を収め、現在の中華人民共和国が作られた——。

こうして振り返ると、中国はその歴史において、何度も王朝の崩壊と内戦を経験していることが分かる。秦の始皇帝以来、約二二〇〇年のあいだに八六〇年間も、内乱や内戦の時代があったのである。

……その歴史において、約四割もの期間だ。

そして、中華民国も含め、すべての王朝や政権は崩壊という結末を迎えている。国を支配するものが現れ、反乱が起き、内戦となる。そしてまた支配者が現れる。中国では、そんな歴史を繰り返してきた。

支配者はいずれ打倒されるのが、この国の宿命であり、不動の法則といっていいだろう。そして、打倒される際には、必ず暴力的な手段が使われてきたのである。そのことを、現政権を率いる習近平も、よく知っている……。

厳しく支配しても王朝は崩壊す

このような中国の歴史は、単なる「過去のできごと」ではないと私は考えている。王朝の崩壊を研究することは、現在の中国の未来を占ううえで、非常に重要なものになるはずだ。「歴史は繰り返す」という。ならば、王朝がなぜ崩壊してきたかを考えることは有益なものになるはずだ。

たとえば、中国最初の王朝である秦王朝である。

秦の始皇帝は中国史上初めての中央集権制を敷いて、権力を皇帝に集中した。春秋戦国時代には、国王が貴族や臣下に封土《ほうど》（領地）を与えて国を分割統治する封建制《ほうけんせい》が普通だったが、始皇帝はこの伝統を完全に破棄したのである。

始皇帝は中国全域の土地をすべて皇帝の領地とし、民衆を厳しく取り締まる法律も作っている。秦の法律には、死罪に当たる罪状が数百もあったという。民衆を徹底的に締め付け、恐怖させることで体制を守ろうとしたのだ。

この考え方は、現在の中国にも脈々と息づいているといっていい。

この始皇帝にとって厄介《やっかい》な存在は、知識人たちだった。なぜなら、彼らは政治論議と権力批判が大好きだからだ。

そのため始皇帝は、咸陽《かんよう》にいる四六〇名余の儒者、すなわち知識人を捕まえ、生き埋めにして殺している。官製の史書、実用書、技術書以外の書物を集め、焼いた。これらを称して「焚書坑儒《ふんしょこうじゅ》」という。

王朝にとっての「危険思想」を葬り去ったのである。

始皇帝はこうして専制政治を行い、厳しい法律で民衆を縛り付けた。同時に思想統制で反乱の芽を摘《つ》むこともしている。厳しさと恐怖によって、帝国を安泰なものにしようとしたのだ。

実際、ここまで押さえつけられたら身動きができない。始皇帝は、帝国の永遠の繁栄を確信したことだろう。だが、そんな秦も、簡単に滅びたのである。

反乱の芽が生まれるとき

始皇帝は、自らの欲望と虚栄心を満たすために、人民を酷使している。たとえば、天下統一の直後から始まった建設である。咸陽とその周辺に、有名な「阿房《あぼう》宮《きゅう》」を中心とした史上最大規模の宮殿群を作ったのだ。

もう一つの国家的プロジェクトが、始皇帝の陵墓《りょうぼ》を作ること。これは始皇帝が秦の王になったとき、つまり天下統一の前から進められており、秦王朝が成立すると、その規模は大幅に拡大した。

宮殿と陵墓は、始皇帝にとって生前の享楽《きょうらく》と死後の安らぎのためのもの。しかし工事に駆り出される人民にとっては、災厄《さいやく》以外の何ものでもない。

万里の長城の建設も忘れるわけにはいかない。宮殿群や陵墓と合わせて三大プロジェクトである。

これが同時進行したのだからおそろしい。動員された労働力は、合わせて二〇〇万人以上だったともいわれている。

秦の総人口は、せいぜい二〇〇〇万人程度だった。ということは、全人口の一〇分の一が駆り出されたということになる。肉体労働に向かない女性と子どもを除けば、その比率はさらに上がる。

そうなると、農村地帯は深刻な労働力不足に陥ってしまう。農村で労働力が足りないということは、食料の生産が足りなくなるということを意味する。万里の長城、宮殿、陵墓の建設に駆り出されたために、人々が飢えに苦しむことになったのだ。

こうした状況が、反乱の芽となった。統治システムや厳しい法律で反乱できないようにしたはずの始皇帝だったが、自らの欲のために反乱が発生する条件を作り出してしまったのだ。そして、始皇帝が死んだ翌年、紀元前二〇九年に、とうとう反乱が起きることとなった……。

秦を滅ぼした農夫二人

この年の七月、陳勝《ちんしょう》と呉広《ごこう》という二人の人物が率いる農民軍が、反乱の狼煙《のろし》を上げた。それがきっかけとなり、反乱は瞬《また》く間に全国に広がっていく。この反乱は、王朝の支配を根底から揺るがすことになった。

陳勝と呉広は、田舎の貧しい農家の生まれ。特に陳勝は、自分の耕地もなく、雇われて人の農地を耕すという、最底辺の身分だった。

秦の治世が平穏なものであったならば、陳は一貧農のままだっただろう。しかし、始皇帝の暴政は人民を奴隷のように酷使し、その生活を破壊していった。そのことが、陳勝を歴史の表舞台に登場させることになったのである。

農民だった陳勝と呉広だが、兵士として徴発されて北部の辺境に送られることになった。部隊を編制するのは、全国からかき集められた九〇〇人の農民たちである。つまり二人にとっては同じ境遇の仲間……現代流民たちと同様の連帯意識を持っていた。

陳勝と呉広は、ともに分隊長格である屯長《とんちょう》に選ばれている。

そして北方に移動する途中、部隊が大沢郷という地にたどり着いたところで、大雨によって道が塞《ふさ》がれてしまった。期限内に目的地に到着することは不可能。だが、期日を過ぎれば厳罰が待っている。理由を問わず、斬罪《ざんざい》となってしまうのだ。

つまり、その時点で彼らの斬罪は決まったといっていい。陳勝と呉広、そして九〇〇人の農民仲間は、死ぬ運命となったのだ。

そこで、二人は反乱を起こした。斬罪に怯《おび》える仲間たちを先導し、隊長を斬ったのである。そして陳勝は将軍に、呉広は都尉《とい》となって蜂起した。

わずか九〇〇人、もともとは農民だから、充分な武器があったわけではないし、軍事的な知識もない。しかし彼らは木を切って矛《ほこ》とし、竿《さお》を立てて旗とした。

ボロボロの素人《しろうと》反乱部隊は、しかし挙兵すると連戦連勝。大沢郷の政府軍を攻め滅ぼすと、周辺の県城も次々に攻略していく。

すると人数もどんどん増えていった。現在の河南省にある陳《ちん》という都市に到達したとき、兵の数は数万人。兵車六〇〇〜七〇〇台、一〇〇〇を超す騎馬を抱えるほどになっていたという。周辺の農民たちが、一斉に集まってきて反乱軍に合流したのだ。

強固な体制も民衆には敵わない

陳勝は各地域の三老（地方の民間指導者）、豪傑たちを招集した。そして彼らに推挙される形で王位に就くと、張楚《ちょうそ》を建国。小規模ではあるものの、これは秦王朝に対抗する政権であった。最底辺の日雇い農夫が、そこまで成り上がったのだ。

始皇帝の暴政に不満を募らせてきた人々にとって、これは青天《せいてん》の霹靂《へきれき》ではあったが、また大きな喜びでもあった。反乱軍を率いた陳勝が王になったことに呼応し、反乱が各地で勃発《ぼっぱつ》する。

陳勝が挙兵してから二ヵ月後には、後に漢王朝の初代皇帝となる劉邦、「西楚覇王《せいそはおう》」として劉邦と天下を争うことになる項羽《こうう》、さらに秦によって滅ぼされた国々の貴族たちも立ち上がることになったのだ。

結果的に、陳勝と呉広の農民軍は、わずか半年で滅んでしまった。しかし、二人に触発された各地の反乱は、それで収束することはなかった。

陳勝の死後、秦によって滅ぼされた楚《そ》の国王の子孫が担ぎ出され、楚が復活することになる。この楚の二つの主力部隊を率いたのが、項羽と劉邦だった。そして二人の活躍によって秦王朝は崩壊……紀元前二〇六年一月のことだった。

その一ヵ月後、項羽の大軍が咸陽に到着。圧倒的な軍事力で主導権を握った。

始皇帝は反乱の芽を摘むために強固な体制を作り、厳しい法律を作った。しかし、それでも民衆の反乱は押さえつけられなかったのである。

民衆の怒りは、それほどのパワーを持つもの。もちろんそれは、現代流民たちにもいえ

ることだ。

中国史上最大の民衆の反乱とは

秦王朝だけではなく、中国の中世を代表する巨大帝国、唐王朝崩壊の原動力となったのも、やはり反乱だった。

唐王朝の時代は、「初唐」「盛唐」「中唐」「晩唐」と四つに区分されている。「盛唐」とは、最盛期の約五〇年間。この「盛唐」に終止符を打ったのが、七五五年の安禄山の乱である。

地方で力をつけた節度使《せつどし》（辺境警備にあたる軍人の役職）の安禄山らが起こしたもので、結果として首都の長安《ちょうあん》が陥落。王朝は大きな打撃を受けた。

その後の時代である「中唐」の後期から、王朝の中枢で宦官《かんがん》が権勢を振るうようになり、政治が大きく乱れてしまう。そして、八世紀の半ばから「晩唐」の時代を迎え、世の中が大きく乱れ出す。それから半世紀で、王朝は崩壊することになった。

天下大乱の時代「晩唐」の幕開けとなったのは、八五九年に起きた裘甫《きゅうほ》の乱である。

八五九年一二月、彼は一〇〇人ほどの「賊」を率いて蜂起し、象山《しょうざん》（現在の浙江省象山県）という街を攻め落としたのだ。

裘甫軍には山賊や海賊、他の地方からの流民、無頼亡命の徒も集結し、政府が支配する各地の県城を攻略、県官たちを殺していった。結果、浙東地方の半分が裘甫軍の手中に収められ、裘甫は自身を「天下都知兵馬使」と称し、唐とは別の年号である「羅平《らへい》」を使用する。独自の年号を立てるということは、唐王朝の政治支配を拒否し、独立した地方政権を樹立するための準備だといっていい。

裘甫軍は最終的に内紛によって弱体化。敗戦を重ね、八六〇年七月に反乱は終わった。しかし裘甫の乱は唐王朝に対する反乱の口火を切ったことは間違いない。

それから八年後の八六八年には、龐勛《ほうくん》の乱が起きている。龐勛の乱が終結しても、その生き残りの一部は逃げ延びて群盗となった。こうした状況のなかで、中国史上最大規模の民衆による反乱、黄巣《こうそう》の乱が発生する。

黄巣の乱も失敗という形で終わったが、ここで全国を統一する王朝としての唐は、事実上崩壊している。限られた地域を支配するだけの、いわば一地方政権に成り下がってしまったのだ。

最終的には、黄巣軍から寝返った朱温《しゅおん》が、実権を握ったのちに形ばかりの王朝を滅ぼす。九〇七年のことだった。

明時代、史上初の学生による反乱

中国の歴史を見ていくと、王朝の圧政、暴政、腐敗に対し、不満と怒りを覚えた名もなき人々が反乱を起こす、という例がいくらでも出てくる。そして反乱に加わった人々のなかには、「流民」が多かった。

もともとは農民だったのだが、役人から厳しい税の取り立てを受け、飢饉《ききん》になると生命すら危うくなる。そんな生活に嫌気《いやけ》がさし、故郷を出て流民となった人々は、やがて武装して群盗に……王朝や役人のせいで故郷を捨てた彼らは、ひとたび反乱が起きれば、勇《いさ》んで合流することになる。中国の現代流民たちもそうするだろう。

もう一つ、中国の王朝崩壊において重要なのが、知識人たちの存在だ。

明王朝の時代に起きた開読の変の中心になったのは、知識人や学生たち。いわば、中国史上初めての学生たちによる反乱、すなわち最初の「学生運動」だ。

学生、つまり若き知識人たちは、本来であれば官僚になって権力側になろうという立場だ。そんな人々が、反乱の先頭に立ったのである。それは、当時の統治システムを根底から覆すような事件だといってよかった。

開読の変の一年後である一六二七年から、延安地域を中心に大飢饉があり、困窮した農民たちは王嘉胤《おうかいん》らが起こした暴動に一斉に参加。大規模な反乱となっていく。

この反乱のなかで、最も有力な首領の一人が李自成だ。彼はもともと農村の富裕層だったが、家が没落し、あちこちを放浪した後に入った軍隊で、謀反《むほん》を起こしている。

李自成の軍には、参謀役として知識人たちも参加していた。そのことで、反乱軍は単なる「流賊」ではなく、本格的な「革命軍」へと成長を遂げた。李自成は、彼ら参謀の勧めによって、以下のような政策を掲げた。

「身分のいかんにかかわらず、土地を均《ひと》しく分配し、三年間の徴税を免除する」

そのことで李自成軍は農民たちから圧倒的な支持を得る。その勢力は「百万大軍」と呼ばれるほどになり、ついに明王朝を滅ぼすことになる。

数多くあった反乱軍のなかで、李自成の軍が最大の勢力になったのは、これまで身分の差や税の取り立てに苦しめられてきた農民たちの気持ちに応える「均田・免租」のスローガンを打ち出したからだろう。

そして、それを打ち出すよう勧めたのが知識人の参謀だったということも見逃せない。反権力の思考を持つ知識人の出現は、本格的な革命が成功する大きな要素となる。これは、後述する現代中国の行く末を考えるうえでも重要だ。

明王朝の初代皇帝、朱元璋は、完璧にも思える支配システムを作ったのだが、縛り付けられた人々はいつか反発する。権力が腐敗し、民衆を苦しめればなおのことである。明王朝も、中国における過去の王朝と同じ運命をたどることになった。それが「王朝崩壊の法則」といっていいだろう。

現在の「習近平王朝」も、この法則に支配されることになろう。

流民の大量発生から王朝崩壊へ

結局、王朝が崩壊する原因は、権力者による国家の私物化と、人民に対する弾圧や搾取《さくしゅ》にほかならない。しかし、王朝の持つ軍事力は圧倒的だから、反乱が起こったとしても簡単に倒せるものではないことも確かだ。

では、反乱が成功するための条件とは何か。ここまでの歴史を検討してみると、分かってくることがある。それは、大規模な反乱が短期間で急速に広がることだ。散発的、あるいは小規模な反乱であれば、王朝側は簡単に鎮圧《ちんあつ》してしまう。

しかし黄巣の乱や李自成の乱は、全国的な広がりを見せた。民衆側は、数では権力側を圧倒できる。彼らが一斉に蜂起することが、王朝崩壊の原動力となるのだ。

清王朝の時代までは、中国の人民の大半が農民だった。農民の反乱が、すなわち人民の反乱だったといってもいい。

つまり農民こそ、反乱の主力だったということになる。

ただし、農民たちは、先祖代々の土地を耕し、辛抱強《しんぼうづよ》く生きる人々でもある。政府に反抗して蜂起するのは、並大抵のことではない。そんな農民たちが動く要因、それは、生きていくためのよりどころとなる土地を奪われることだ。

先述したように、生活基盤を失った農民は流民となるしか道がない。**普段はおとなしい農民も、生活基盤である土地を失い、流民となれば、怖いものがなくなる。流民が群盗となり、そして反乱勢力に吸収される。それが、悲しくも自然な成り行き……現在の中国の現代流民たちも同じだ。**

そんな元農民の流民たちにとって、反抗する対象はなんであろうと関係ない。王朝であれ、その土地の役人であれ、自分たちから土地と生活を奪い、流民に追いやった「権力」そのものが怒りの対象なのだ。

彼らには、反乱しか生きる道がなくなっているのである。

二〇一二年の日本政府による尖閣諸島の国有化宣言の後に起こった反日デモにおいても、民衆は毛沢東支持のプラカードを掲げて行進した。その多くは現代流民たちだった。

このような**流民の大量発生こそが王朝を崩壊させる大反乱の条件であり、流民が発生することは、王朝が崩壊への道をたどり始めたことの証拠でもある。現代の中国にも、それが見られる——。**

王朝崩壊への「とどめの一撃」とは

中国においては、農民を主力とする反乱が常に王朝崩壊の原動力になってきた。そして、反乱の勢力拡大においては、知識人の存在も大きい。無学な農民たちに、天下の大勢が分かる知識人が加わってリーダー格となることで、反乱が組織化され、より強力で本格的なものとなっていくのだ。

黄巣の乱を指揮した黄巣は、もとはといえば科挙試験に失敗した知識人だった。李自成の乱では、知識人たちが反乱軍に参謀として参加している。それがあってこそ、李自成は民衆の心をつかむことができたというのは先述した通りだ。

中国の歴史においては、民衆と知識人が合体して反乱勢力を拡大し、成功に導いていることが分かる。

しかし、知識人が反乱に加わるというのは、本来であれば尋常なことではない。彼らにとって、科挙試験に合格して官僚になることこそが人生の目的。王朝を支える権力側になるはずだった人間が、そこから離れて民衆とともに反乱を起こすというのはただごとではない。ただ、彼らは頭脳明晰《めいせき》であるがゆえに、権力の腐敗にも敏感なのだろう。

民衆の反乱に知識人が加わることは、王朝崩壊に向けた「とどめの一撃」といっていいかもしれない。

激動の条件が揃った現代中国

こうして歴史を振り返ってみると、時の政権が打ち倒される、あるいは根底から揺さぶられる原因が見えてくる。

それは、以下の流れとなる。

①圧政や災害等が原因で民衆が生活苦に喘《あえ》ぐ。
②生活の基盤を失った者が流民となり、反権力の怒りを溜め込む。
③流民を中心とした民衆の反乱に知識人が加勢し、組織だった反乱となる。

②までの流れは、そのまま現代中国にも当てはまるといっていいだろう。
災害が原因ではないが、現在の中国では、強引な経済成長のツケを払わされる形で苦境に陥った人々がたくさんいる。その最底辺にいるのが、農村から都会に出てきた農民工たちだ。社会に対する彼ら現代流民の不満は、ピークに達しつつあるといっていい。

これまでは散発的な事件、デモや暴動が起きてきたのだが、もし、これが中国全土での「一斉蜂起」となったら、中国はどうなってしまうのだろうか。

また、③として挙げた知識人の合流も、決して非現実的な話ではない。

次の終章では、現代中国、共産党という「王朝」が崩壊に至る流れを、シミュレーションしてみることにしよう。

終　章　共産党体制が崩れる日

流民ネットワークの誕生

農民工、すなわち現代流民たちの苦しい生活がこのまま続けば、彼らの怒りや不満は溜まる一方だ。

これまでは職場ごと、地域ごとにグループを作ったり、連帯したりしてきたが、これからはインターネットを使った連携も盛んになってくるのではないか。

「こんな生活にはもう耐えられない」

「今日は仲間がこんな酷い目にあった」

そんなことを報告し合う。つまり全国単位で、不当な差別や社会への絶望といった思いを共有するのである。

こうした「流民ネットワーク」を禁止しようとしても、おそらく無理だろう。「流民サイト」を一つ潰したところで、新しいサイトが出てくるだけ。その一切を潰すには、中国全体でインターネットを使えなくするしかない。

しかし、そんなことをしたら、一般市民が黙ってはいないはずだ。政府への怒りを、別の形で高めてしまうことになる。

流民たちが不満をいい合っているだけなら良いのだが、彼らは何かのきっかけで暴走する。警官の暴力などから、デモや車を燃やすといった事態に発展してきた例は、本書で見てきた通りだ。

流民たちがネットワーク化すれば、その規模はいままでよりも大きなものになるだろう。一つの街のなかだけの話ではなく、ネットで状況を知った近隣の街からも「応援」が来る可能性が高い。

ただそれでも、警察、あるいは軍の出動によって、街単位の騒乱は鎮圧《ちんあつ》されてしまうはずだ。といって、それで終わりというわけではない。

鎮圧された者たちは国への、そして社会への怒りをさらに強めて、地下に潜ることになる。そうしてでき上がるのが、より過激な反体制グループだ。

暴動、鎮圧、流民グループの先鋭化――そうした流れを繰り返していくうちに、反体制グループはどんどん巨大化していくことになる。「筋金入り」の、いい換えるなら「プロ」として反政府活動に生きる人間たちが大量に存在するようになるのだ。

新種の流民とは誰か

そうしたなかで、知識人たちもこの動きに加わることになるだろう。

経済の崩壊は誰にとっても深刻な問題だし、知識人たちは頭脳明晰《めいせき》だからこそ、流民たちの苦境を放っておくことができない。これまで見てきたように、そのことは「歴史の必然」だといえる。

知識人たちが反体制側に加わることで、グループはより組織化され、効率的に活動するようになるだろう。また知識人たちは流民たちのリーダー、そして代弁者となり、アピール力も強めていく。

そうなれば、彼らに共鳴する人間はさらに増える。このことは、先述の通り、中国の歴史が証明している。

そこに新たに加わることが考えられるのが、新種の「流民」だ。それは、大学を卒業しても就職できなかった若者たちである。

中国では大卒者が年々増えているが、全員が一流企業に就職したり、官僚になったりするわけではない。経済が落ち込むなかで、約二〇％が就職できないといわれている。その数は、二〇一五年でおよそ一五〇万人だ。

二〇一四年までに、大卒の若者二〇〇万人が失業した。これに二〇一五年の一五〇万人を合わせれば、大卒の求職者は三五〇万人に達することになる。彼らもまた、行き先も未来への希望も失い、現代流民になる可能性が高い。

彼らがデモや暴動を起こすことは充分にありうるし、特に農村部にある大学は就職できない卒業生が多いから、農民工たちと心情を同じくする者も多いだろう。彼らがデモや暴動を起こせば、中国にとっては新たな火種。さらに農民工から流民、そして反体制派になった組織と合体すれば、その火種はさらに大きなものとなる。

ここで重要なのは、知識人や大卒者と貧しい農民工たちが合体することだ。

かつて、中国では天安門事件が起きた。このとき、天安門広場に集まった学生は一〇万人といわれている。

しかし、**これから作られるであろう反政府組織は、知識人と元大学生だけで数百万という潜在的な数がいる。農民工にいたっては約二億人である。**

まして、天安門事件には、一般市民の多くは関心を持たなかった。額に汗して働く人々にとって、あれは学生たちの「遊び」にしか見えなかったのだ。いわば「金持ちの子どもたちの革命ごっこ」だったのである。日本における学生運動も、似たようなところがあったのではないだろうか。

しかし、これから起きるであろう反体制運動は違う。知識人や元学生、労働者が一体となった運動だ。一部の富裕層を除けば、誰もが関心を持つだろうし、その勢力は凄まじいものになる。

共産党vs.農民党

仮に、この反政府組織を「農民党」としよう。

知識人、元学生、そして農民工たちの半分が参加したとして、その数たるや一億人。しかも各地でバラバラに動くのではなく、インターネットを通じてつながり、知識人のリーダーによって強固に組織化されている。

こうなれば、もう反体制勢力というより、巨大な政治組織といっていい。共産党もその存在を無視できなくなるし、弾圧や鎮圧をするのも不可能になってくるはずだ。

たとえば、である。リーダーの呼びかけによって、農民党のメンバーとその賛同者五〇〇万人が、一斉に大都会、北京に集結したとしよう。

東京ドームなどのスタジアムを想像してほしい。そこでコンサートが行われると、約五万人の観客が集まる。その客たちが一斉に会場を出ると、最寄りの駅までの道は大混雑。まともに歩けないような状態になる。

もし、その一〇〇倍もの人々が北京の主要な道路を埋め尽くし、座り込みを始めたらどうなるか。北京の都市機能は、確実に麻痺《まひ》してしまう。

もちろん、いかに大量の「軍勢」がいても、現代において武力で革命を起こすことは不可能だ。しかし軍隊のほうも、彼らを排除するために大量の死傷者を出すようなことはできない。

農民党全体を逮捕することも不可能だ。警察と軍隊にはそれだけの人員がいないし、中国全土の刑務所を使ったとしても、一億人を収容できるわけがない。

結局、共産党は農民党と向き合い、交渉するしかなくなるだろう。その結果はどうなるか。農民党を一方的に押さえつけることはできないから、ある程度以上、彼らの要求を認めていかざるを得ない。その形が固まるとしたら……。

つまり、中国で二大政党制に近い政治体制が実現することになる。いずれ普通選挙も実現することになるはずだ。ということは、共産党一党独裁体制が崩壊するということである。

共産党内部からの離反者たちの名前

ことは「共産党vs.農民党」だけではなくなるかもしれない。共産党のなかにいる反主流派の人間たちが、反体制勢力を利用して政治闘争を展開していく可能性もある。出世しそこなったり、抑圧されてきたりした人間たちが主流派の突き崩しを狙うのだ。

習近平指導部は、その発足以来、「トラもハエも叩く」というスローガンを掲げて党内の腐敗摘発に手を尽くしてきた。そのことで民衆の支持を得て、政府への信頼を高める効果もあった。

習近平体制にとっては、腐敗を摘発することが、権力基盤を固める有力な武器となってきたのである。

共産党の幹部たちにとって、腐敗は何かしら身に覚えがあるもの。習近平の姿勢には、誰も逆らうことができない状態だった。しかし、腐敗の摘発は、習近平体制にとって諸刃《もろは》の剣《つるぎ》でもある。

これまで、周永康《しゅうえいこう》や徐才厚《じょさいこう》といった大物幹部が次々と「血祭り」に上げられてきたが、そのことは民衆の期待をますます煽《あお》ることになった。

そうなると指導部としては、腐敗の摘発の手を緩めるどころか、ますますヒートアップさせていく必要がある。それが民衆の期待に応え、習近平体制を維持することにつながるからだ。

しかし、**摘発が進めば、党幹部の大半が身の危険を感じることになる。反発を招くのは自然な流れだ。二〇一五年七月の上海株暴落も、弾圧を受けた江沢民《こうたくみん》グループが画策したものとする報道もある。**

『人民日報』の習近平への「警告」

そんななか、二〇一五年一月一三日付の『人民日報』が興味深いコラムを掲載している。習近平指導部による腐敗摘発に対して「三つの誤った議論」が広がっていると指摘したのだ。

その一つが「やり過ぎ論」である。これは文字通り「いまの腐敗摘発はやり過ぎである」というもの。

もう一つの「泥塗り論」は、摘発運動によって共産党の大幹部たちの腐敗の実態を暴露したことが、逆に政権の顔に泥を塗ることになるのではないかという議論だ。

三つ目は「無意味論」。政権内では腐敗が広く浸透しているのだから、どれだけ摘発しても撲滅するのは不可能。「やっても無意味」というわけだ。

「やり過ぎ論」と「泥塗り論」は、政権を守るという立場からの内部批判だろう。一方、「無意味論」は、共産党の腐敗摘発を外部、すなわち民間の立場から冷ややかに見ているもの。いずれにしても、共産党中央委員会の機関紙である『人民日報』が、腐敗摘発運動に対する批判の声があることを公に認めたのである。

特に党内から反発や批判の声が出ていることは、習近平体制にとって由々《ゆゆ》しき事態というほかない。

同じ一月一三日には、新華社通信も「腐敗摘発はいいところで収束すべきだ」という党内の意見を紹介した。それだけ、反発が強まっているということだ。

——そこで、習近平主席はどのような手を打つか。

一つは、新華社通信が紹介した意見のように、「いいところ」で腐敗摘発の手を緩めること。そうすれば、党内の融和と安定を図ることができる。ただ、それをやることで、民衆が「裏切られた」と感じ、政権への信頼が失墜してしまう危険性がある。

もう一つの手は、民衆の期待が高まるままに、それに応えて腐敗摘発を続けること。しかしそれでは、党内からの反発がさらに強まり、やがては権力基盤を揺るがしかねない。党内の別の派閥が反・習近平の権力闘争を引き起こす可能性もある。もし農民党が力をつけ、共産党と張り合うようになれば、そちらに味方する共産党幹部も現れるだろう。

つまり、現在の習近平体制は「進むも地獄、退《ひ》くも地獄」という状態にあるといっていい。

そうしたなか、習近平は中央規律検査委員会の全体会議で、「反腐敗闘争は持久戦だ」と演説している。反腐敗運動を継続させていく方針を明確に打ち出したのだ。共産党内部からの離反を招く可能性があるにもかかわらず、である……。

習近平が求める「刀把子」とは何か

また、習近平は党の規律検査委員会で「政治ルール」の重要性を強調した。全党員に対し「ルールの厳守」を呼びかけたのだ。

『人民日報』は、この「政治ルール」の解説を行っている。

記事の冒頭で取り上げられているのは、故人である共産党古参幹部、黄克誠《こうこくせい》氏の話だ。黄氏は、抗日戦争時代に共産党が延安《えんあん》に本部を置いたときのことを、以下のように振り返ったという。

「当時、毛沢東主席は電報機一台で全党全軍の指揮をとっていました。電報機の信号はすなわち毛主席と党中央の命令であり、全党全軍は無条件にそれに従った。疑う人は誰もいない。ただ、延安からの電信に従って行動するだけでした」

記事は、この黄氏の言葉を「これこそはわが党の良き伝統である」と絶賛している。そのうえで、「習総書記の語る政治ルールとは、まさに党の伝統から生まれたこのようなルールである」と結論づけた。

つまり、いまの中国共産党の党員幹部に対し、かつて毛沢東の命令に無条件に従ったのと同じように、習総書記に対しても無条件に従うことを要求しているのだ。習近平による「政治ルール」とは、そういうものだ、と。

中国には「刀把子《ピンイン》」という言葉がある。刀の柄《つか》という意味で、比喩的に「権力」という意味でも使われる。刀の柄を握ることは権力を握ることであり、刀をもって人々を支配するというわけだ。

この「刀把子」という言葉は、毛沢東時代の恐怖政治の代名詞でもあった。毛沢東は生前「刀把子」をしっかり握ることで、数百万人の国民の命を奪ったのである。

鄧小平時代からは、「刀把子」は徐々に使われなくなり。江沢民政権や胡錦濤政権下では完全に死語になっていた。共産党が「法治国家の建設」を唱え始めたからだ。

しかし、習近平は再び、「刀把子」を握ろうとしている。『人民日報』が書いたように、毛沢東時代に戻るような政治を行おうというのだ。

彼が語った「政治ルール」とは、人の命を奪うような恐ろしい権力を、共産党が握っておくべきだという宣言にほかならない。もちろん、実際に「刀把子」を握って政治を動かすのは習近平だ。

いわば現在の中国では、習近平が自分自身への無条件な服従を「全党全軍」に求め、国民の命を恣意的《しいてき》に奪う権限さえ手に入れようとしている。

中国人民に多大な災《わざわ》いをもたらした、毛沢東時代の個人独裁と恐怖政治の亡霊が蘇《よみがえ》ろうとしているといっていい。

内戦か二大政党制か

ただでさえ経済が落ち込み、その最大の犠牲者である農民工たちが悲惨な暮らしを強いられ、不満を溜め込んでいるなかで、国家主席が個人独裁と恐怖政治に走ろうという状況では、反乱の火種はますます膨らんでいく。

現代流民たちが連帯し、そこに知識人が知恵を授けて組織化、さらに就職できない若者たちが新たな流民として加わる。そうして一大勢力となり、共産党に対する対抗軸となれば、共産党内部からも反主流派が味方に付く可能性がある。

そして中国は、共産党の一党独裁から二大政党制的な状態になり、普通選挙も実現する——これは、流民を中心とした勢力が平和的にことを進めた場合に考えられるシナリオの一つだ。だが実は、別のシナリオも考えられる。

それは、全面的な武力衝突だ。

もし「農民党」が武装化し、一斉に蜂起すれば、軍といえども苦戦するに違いない。もちろん、政府軍に農民党軍が勝つことも難しいのだが、武力衝突によって事態が大きく変化するということはありうるだろう。

というのも、軍の兵士のなかには農村部の出身者も多い。彼らは仕事として農民党軍と対決するだろうが、心情的には農民工だった人間たちに近いものがある。戦いが本格化・継続化すれば、軍から離反して農民党に加わる者も数多く出てくるのではないか。

それに加えて、**共産党内の反主流派の存在がある。江沢民グループや胡錦濤グループなどだ。彼らの動きによって共産党が分裂する可能性も否定できない。腐敗摘発でやり玉に挙げられた軍にも不満が充満している。**

こうして、ひとたび一党独裁が崩れれば、各地の大物がそれぞれに軍を作り、主導権争いを展開するかもしれない。いくつもの軍閥が生まれ、覇権を握るべく戦いに打って出るのだ。

そうなれば、中国全土が大混乱の内戦状態に陥ってしまう……。

いずれにしても――。

近い将来、中国共産党の一党独裁体制は終焉に向かうことになるだろう。少なくとも、その火種は現在、ますます大きくなっている。そしてそれは、これまで中国が行ってきた強引な経済成長と悪政がもたらした、当然の帰結なのである。

米中冷戦が首を絞める経済

現代流民の大量発生という「内憂」を抱える中国には、一方で「外患」も存在する。アメリカとの関係だ。

二〇一五年四月、日本の安倍晋三《あべしんぞう》首相がアメリカを訪問し、「日米防衛協力のための指針」（ガイドライン）が再改定。これはもちろん、自衛隊と米軍の連携が全面的に強化されることを意味する。

また、TPP（環太平洋戦略的経済連携協定）によって、日米が中心となるアジア太平洋経済圏の構築も進んでいる。

多方面で日米の一体化が進行するなか、習近平は「アジア新安全観」を唱えている。アジアの安全はアジアの国が守る、というものだ。つまり、アメリカの軍事的影響力をアジアから締め出そうというわけである。

経済面では、中国主導で五七ヵ国が参加を表明してＡＩＩＢ（アジアインフラ投資銀行）を創設。中国がアジアの経済支配を確立するという戦略だ。

こうした動きによって、中国はアメリカとの対立を深めることになった。実際、日米同盟の強化やＴＰＰは、自らの経済的ヘゲモニーに手を伸ばされたアメリカの「反撃」だと見ることもできる。

さらに習近平は、二〇一五年五月に、ロシアの対独戦勝七〇周年記念の軍事パレードに主賓格《しゅひんかく》として出席している。

地中海でのロシア軍との合同軍事演習も行った。これは、日米同盟に対する、ロシアとの共闘体制作りだといっていい。ただしこれは、かつての東西冷戦構造を再現してしまうようなものだ。

南シナ海の島々での埋め立て、軍事基地の建設など、アジアでの覇権を握ろうとする中国。これに対してアメリカは、ケリー国務長官が二〇一五年五月に訪中した際、南シナ海での「妄動《もうどう》」を中止するよう求めている。

だが中国の王毅《おうき》外相は「中国の決意は揺るぎないものだ」と拒否。習近平も「広い太平洋は米中両国を収容できる空間がある」と語っている。太平洋の西側の覇権を中国に渡せ、ということだ。

——いまや中国とアメリカは、太平洋をめぐって新たな冷戦状態に入ろうとしている。

二〇一五年五月二〇日には、中国が南シナ海で岩礁埋め立てを進める現場を偵察した米軍機が、中国海軍から八回もの退去警告を受けた。その映像はＣＮＮによって公開されている。

するとその翌日、ラッセル国務次官補が人工島の周辺への米軍の「警戒・監視活動の継続」を強調。国防総省のウォーレン報道部長は、人工島の「領海内」への米軍偵察機と艦船の進入を示唆《しさ》した。

これに対して中国側は「言葉を慎め」と反発。一方、アメリカのバイデン副大統領は中国の動きを強く批判し、「航行の自由のため、アメリカはたじろぐことなく立ち上がる」としている。すると中国は、国防白書で「海上軍事闘争への準備」を訴えた。

中国の動きに対し、アメリカは一歩も退かない構えだ。米軍には、二〇二〇年までに海軍力の六割をアジア太平洋地域に持ってくるという方針もある。中国も譲歩する気配がないから、米中の対立はますます激しいものとなろう。

アメリカと「全面対決」しようとするなら、中国はさらなる軍備拡大を急ぐ必要がある。しかし、いま軍備をこれ以上に拡張しようとすれば、ただでさえ苦しい経済状況をさらに圧迫することになる。それは明白だ。もちろん、重要な貿易相手国である日米との経済関係も悪化する。

しかも、国内での治安維持に充てる予算は、実は国防費を上回っているのだ。

つまり何をどうやっても、中国の将来には明るい要素がない。そして、経済が崩壊に近づけば近づくほど、国民の目を逸《そ》らすため、対外強硬路線を強める可能性が高い。そしてそれは、中国経済の首をさらに絞め、崩壊を早めることにつながる……。

天津大爆発は権力闘争の結果

——本書を脱稿直前の二〇一五年八月一二日、中国・天津港の倉庫で大規模な爆発事故が起こった。この爆発による死者は、最低でも数百人にのぼると見られる。

爆発地点には直径一〇〇メートルもの巨大な穴ができた。ある中国のメディアは、「爆発の威力はTNT火薬で二四トン分」と伝えている。

倉庫内にあった金属ナトリウムに水が接触したことが爆発の原因とされるが、ここには猛毒のシアン化ナトリウムが七〇〇トンなど、危険化学薬品が約三〇〇〇トンも保管されていた。

習近平体制がその威信をかけた九月三日の「抗日戦争勝利七〇周年記念行事」の直前に起きた大事件について、指導部は背景を調べ、厳しく対処する方針だ。実際、李克強《りこくきょう》首相は八月一六日に現地入りして、「事故の責任を徹底的に問い、規律違反などがあれば断固として処分する」と強調している。

しかし、過失による事故とは思えないのは私だけだろうか。中国当局が発表している死者の数についても、信用している人間などいない。「抗日戦争勝利七〇周年記念行事」の直前というタイミングを考えると、権力闘争が絡《から》んだ可能性が大きい。

そして、この大爆発事故の処理に当たって特に注目すべきは、政権側の混乱ぶりである。

たとえば「神経ガス検出」の一件。国営中国中央テレビは現場に出動した北京公安消防総隊幹部の話として、「爆発が起きた付近の大気から神経ガスの成分が検出された」と伝えたのに対し、天津市環境保護局は「検出されていない」と全面否定。すると国営の新華社通信は、専門家の話として、「爆発現場では神経ガスは生成できない」と報じた。

国営中国中央テレビ局の報道に対する天津市当局および新華社通信の否定と反論については、「不都合な情報」に対する隠蔽《いんぺい》工作の疑いもある。しかし問題は、「不都合な情報」であるなら、同じ政権側の国営中国中央テレビは、一体どうしてそれを報じてしまったのか、である。

結果的には、共産党宣伝部直轄の国営中国中央テレビが伝えた重要情報を、同じ宣伝部管轄下の新華社通信が打ち消すという、前代未聞の異常事態が起きた。

共産党政権は成立以来、何事に当たっても中央指導部の「一元的指導下」で、党と政府と宣伝機関などが一枚岩となって行動するのを「優良なる伝統」として誇ってきた。そして習近平政権になってからは、習自身が指導部に対する全党員幹部の「無条件従属」を求め、毛沢東並みの権限集中を図ってきた。このことは周知の事実である。

しかし八月の**天津大爆発事故の処理に際し、国営中国中央テレビや新華社通信のとった一連の対立的な行動には、「一元的指導」のかけらも見えない。政権内部における大混乱と習近平の統率力の欠如が露呈されているだけである。**

こうしたなか、政権が全力を挙げて展開してきた「上海株防衛戦」は敗色濃厚となり、習近平が政権の浮揚策と位置づけた「抗日戦争勝利七〇周年記念行事」も日米欧の主要先進国からソッポを向かれた。

成立してから三年足らずにして強固な権力基盤を固めたかのように見えた習近平体制は、早くも綻《ほころ》びを見せ、転落への下り坂に差し掛かっているのだ。

いずれにしろ、天津大爆発事故での安全基準を無視した当局の人命軽視は甚《はなは》だしい。住民として登録されていない農民工のバラックなども灰燼《かいじん》に帰している。こうして中国二億六〇〇〇万人の現代流民の暴走に拍車がかけられた——。

あとがき——中国人の赤裸々な願望の果てに

中国には、「清明節《せいめいせつ》」という日がある。これは先祖の墓参りをする日で、文化大革命の時代には「封建的迷信」として禁じられていたが、現在は「民族の伝統」として復活し、盛んになっている。

このとき先祖の墓にお供《そな》えをするものが、日本とは大きく違う——。日本の場合、墓参りをするときは花を持っていくのが普通だ。しかし中国では、銅銭をかたどった紙の「冥銭《めいせん》」を墓前で燃やすという習慣がある。先祖があの世でお金に困らないため、という理由だ。

その冥銭も、額面の高い人民元や米ドルを模したものが主流になっている。一〇〇億元、さらには九八〇〇億元の冥銭もあるほどだ。

それどころか、冥府専用のクレジットカードを作って販売する業者もある。利用金額無制限のゴールドカードで、先祖は冥府での大富豪生活を永遠に楽しめるということになる。

ほかにも最新のｉＰｈｏｎｅ、運転手付きの外国製自動車の模型、紙でできた高級別荘の模型など、あの世で贅沢《ぜいたく》な暮らしをするためのお供え物が数多く売られている。なかには、美女の紙人形の背中に「愛人」と書いてお供えする人も……その際には、精力剤の引換券を添えるのも一般的だ。

ここから、中国人のマインドが見えてくる。

いまの中国人は、花を供えることで先祖への供養《くよう》の気持ちを表すといった考えは持っていない。

大事なのはお金であり外国製の高級車であり別荘、それに愛人……そうしたモノを持つことが「いい生活」だという考え方なのである。それは墓参りをする人々自身の欲望の反映だ。

そして当然、人々は先祖に大富豪の生活を提供するかわりに、自分たちも先祖からのご加護で同じような生活ができるようにと願っている。

赤裸々《せきらら》な欲望を充足させること――それが彼らにとって最高の価値観であり、その意識は普遍的なものだといっていい。

ここでの、現在に生きる人々と先祖の関係は、人民と政府の関係と同じだともいえるだろう。

墓に高級品（を模したもの）を備えることで贅沢な暮らしを願うように、現実の暮らしでも、いい暮らしをするためには党と政府の幹部に賄賂《わいろ》を贈り、そのことでチャンスをもらうというのが基本的なスタンス。

いわば即物的な実利主義であり、蔓延《まんえん》する政治的腐敗には文化的な背景があるということだ。

こういうマインドは、日本人には信じられないものだろう。いや、世界中を見渡しても異様だといえる。

先祖に対しても自分に対しても、最大の願いは贅沢《ぜいたく》をすることであって、正しい生き方や心の平穏は二の次なのだ。

では、そんな中国と、日本はいかに向き合うべきか——。

答えははっきりしている。

私は、以前から中国とはできるだけ距離を置いたほうがいいと主張してきた。歴史的に見ても、日本は中国との関係が希薄だったときのほうが繁栄していたし、日中外交でも揉《も》め事《ごと》が少なかった。

中国に近づき過ぎれば、必ずといっていいほど揉め事が起きる。考え方が根本から違うのだから、そうなるのも当然だろう。

とはいえ、「世界有数の経済大国に成長した中国を無視できるのか」と思う人もいるだろう。それに対する私の答えは、本書に記してきた。

中国経済は、崩壊へと向かっている。強引な経済成長とその失敗は、大量の「現代流民」を生み出した。そして彼らは、共産党体制をも揺るがす一大反体制組織になりかねない。

そんな国と真正面から向き合うのは、決して得策ではないのだ。

経済どころか国家体制まで崩壊の危機に瀕している中国。私はその姿を、冷ややかに見つめるのみである。

二〇一五年九月

石《せき》　平《へい》

著者略歴

石　平（せき・へい）

一九六二年、中国四川省成都市に生まれる。拓殖大学客員教授。幼少期に両親が勤務先の大学から追放され、農場に下放される。一九八〇年、北京大学哲学部に入学後、民主化運動に傾倒。一九八四年に北京大学を卒業し、四川大学哲学部講師に就任。その後、一九八八年に来日し、一九九五年に神戸大学大学院文化学研究科博士課程を修了。二〇〇七年には日本国籍を取得。

著書には、山本七平賞を受賞した『なぜ中国から離れると日本はうまくいくのか』（PHP新書）、『日中新冷戦構造』（イースト新書）、『私はなぜ「中国」を捨てたのか』（ワック）などがある。

暴走《ぼうそう》を始《はじ》めた中国《ちゅうごく》2億《おく》6000万人《まんにん》の現代《げんだい》流民《るみん》

二〇一五年九月三〇日　第一刷発行
二〇一五年十月一五日　第三刷発行

著者――石《せき》　平《へい》

カバー写真――乾晋也、ゲッティイメージズ

装幀――多田和博

発行者――鈴木　哲　**発行所**――株式会社講談社

東京都文京区音羽二丁目一二―二一　郵便番号一一二―八〇〇一

電話　編集〇三―五三九五―三五二二　販売〇三―五三九五―三六二二　業務〇三―五三九五―三六一五

落丁本・乱丁本は購入書店名を明記のうえ、小社業務あてにお送りください。送料小社負担にてお取り替えいたします。なお、この本の内容についてのお問い合わせは、第一事業局企画部あてにお願いいたします。

印刷所――慶昌堂印刷株式会社　**製本所**――黒柳製本株式会社

ISBN978-4-06-219810-3

定価はカバーに表示してあります。